Gulliver Taschenbuch 101

Peter Härtling

Oma

Die Geschichte von Kalle,
der seine Eltern verliert und von seiner
Großmutter aufgenommen wird

Bilder von Peter Knorr

BELTZ
& Gelberg

Peter Härtling, geboren 1933 in Chemnitz, lebt in Walldorf/Hessen.
Er veröffentlichte Lyrik, Erzählungen, Romane, Essays. Neben anderen
Literaturpreisen erhielt er 1976 für *Oma* den Deutschen Jugendbuchpreis.
Im Programm Beltz & Gelberg sind bisher erschienen: *Das war der Hirbel,
Oma, Theo haut ab, Ben liebt Anna, Sofie macht Geschichten, Alter John,
Jakob hinter der blauen Tür, Krücke, Geschichten für Kinder, Fränze, Mit
Clara sind wir sechs, Lena auf dem Dach, Jette, Tante Tilli macht Theater*
und zuletzt *Reise gegen den Wind.*

Peter Knorr, geboren 1956 in München, studierte Kunsterziehung in Mainz,
lebt als freischaffender Zeichner und Illustrator in Nierstein bei Mainz.
Er illustrierte bereits mehrere Kinderbücher und veröffentlichte im
Programm Beltz & Gelberg auch sein erstes Bilderbuch, *Der Wunderkasten*
(nach einem Text von Rafik Schami).

Zu *Oma* gibt es ein Lehrerbegleitheft,
erhältlich gegen eine Schutzgebühr von DM 3,–
Beltz Verlag, Postfach 100161, 69441 Weinheim
ISBN 3 407 99062 6

www.beltz.de

Gulliver Taschenbuch 101
© 1975, 1991 Beltz Verlag, Weinheim und Basel
Programm Beltz & Gelberg, Weinheim
Alle Rechte vorbehalten
Einbandgestaltung von Max Bartholl
Einbandbild von Peter Knorr
Gesetzt nach der neuen Rechtschreibung
Gesamtherstellung Druckhaus Beltz, 69494 Hemsbach
Printed in Germany
ISBN 3 407 78101 6
16 17 18 19 20   06 05 04 03 02

Inhalt

Wie Kalle zu Oma kam

Mit siebenundsechzig Jahren ist man alt, behaupten die Leute. Oma bestreitet das. Sie sagt immer – und das sagen eine Menge alter Leute –, man ist so jung, wie man sich fühlt.

Oma fühlte sich ziemlich jung. Sie sagte auch, ich bin außen ein altes Weib und innen drin ein Mädchen. Wer sie gut kannte, glaubte ihr das. Oma hatte nicht viel Geld, schimpfte manchmal über die kleine Rente und über ihren verstorbenen Mann, der auch keine Größe gewesen sei, doch sie lachte lieber, als dass sie schimpfte. Und sie verstand sich einzurichten. Ihre Wohnung in München war klein und fast so alt wie sie. Die Couch war schon ein paar Mal unter zu schweren Gästen zusammengekracht. Der Ölofen war der einzige neue Gegenstand und mit ihm kam sie nicht zurecht. Sie fürchtete, eines Tages mit ihm in die Luft zu fliegen. Wenn er anfing zu blubbern, redete sie auf ihn ein, als wäre er ein störrischer Esel. Sie redete überhaupt gern mit sich selbst und mit den Sachen, die um sie herum waren. Daran mussten sich Leute, die sie nicht gut kannten, erst gewöhnen. Denn selbst in Unterhaltungen fing sie manchmal an, mit sich selber zu reden, und wenn der andere sie dann erstaunt ansah, schüttelte sie bloß den Kopf, ihn hatte sie ja gar nicht gemeint.

Oma wurde Oma gerufen, auch von den Nachbarn im Haus, von dem Bäcker an der Ecke, auch von den Jungen im Hof, die sie manchmal hänselten, aber im Grunde gern hatten, ihr sogar manchmal die Tasche in den fünften Stock trugen. In dem Haus, in dem Oma wohnte, gab es nämlich keinen Aufzug. Fürsten sind wir keine, pflegte sie zu sagen, wenn ihr der Atem im dritten Stock ausging und sie eine Pause machen musste. »Frau Erna Bittel« stand in Zierschrift auf dem Schild an der Wohnungstür. Ihr Sohn hatte sie gefragt, weshalb sie »Frau« vor ihren Namen geschrieben habe. Sie hatte ihm geantwortet: Du bist dumm. So will ich angeredet werden. Schließlich könnten die Leute nach Ottos Tod glauben, ich bin eine alte Jungfer. Das bin ich aber nicht.

Omas Sohn hatte wiederum einen Sohn. Von ihm und Oma wird die Geschichte erzählen. Er heißt Karl-Ernst oder genauer: Er hieß so, denn er wurde von Anfang an Kalle gerufen.

Kalle wuchs in einer kleinen Stadt in der Nähe von Düsseldorf auf. Sein Vater arbeitete im Büro einer Fabrik. Er rechnet immer zusammen, was die anderen dann in die Lohntüten kriegen – so erklärte Kalle den Beruf seines Vaters.

Manchmal ging Kalles Vater in die Kneipe, meistens am Freitagabend, und dann kam er betrunken nach Hause und beweinte die Welt. Kalles Mutter schimpfte: Immer am Wochenende das heulende Elend!

Kalle konnte diese Ausbrüche nicht verstehen, denn eigentlich war sein Vater ein fröhlicher Mann. Er kam gut mit ihm aus. Besser als mit der Mutter, die immerfort über den Dreck klagte, den die beiden Männer ihr hinterließen und den sie wegputzen musste. So putzte sie den ganzen Tag. Ganz normal ist das nicht, fand Kalles Vater.

Kalles Eltern kamen bei einem Autounfall um, als Kalle fünf Jahre alt war. Sie hatten gar kein eigenes Auto, sondern waren mit Bekannten fort gewesen, hatten Kalle zu der Nachbarin gebracht. Dorthin kam auch der Polizist, der der Frau sagte: Beide sind tot.

Kalle begriff das erst gar nicht. Er konnte sich nicht vorstellen, lange nicht, dass er die Eltern nicht wieder sehen würde. Dass sie für immer weg sein sollten.

Das geht gar nicht, sagte er oft.

Die Nachbarin legte ihn ins Bett, ein Arzt steckte ihm ein Zäpfchen in den Po, was ihn zum Lachen brachte.

Jetzt wirst du schlafen können. Schlaf erst mal, kleiner Mann, sagte der Arzt.

Kalle fand die Bezeichnung »kleiner Mann« idiotisch und den Arzt blöd. Er fand in diesen Tagen alle blöd, weil sie ihm dauernd über den Kopf strichen oder ihn an sich zogen, weil sie ganz anders waren als sonst.

Nur die Oma nicht. Die war gekommen, hatte wohl auch geheult, aber dann alle angeherrscht: Es muss ja weitergehen, irgendwie geht es weiter! Und hatte in einer Runde von lauter fremden Onkeln und Tanten in Kalles Anwesenheit beschlossen: Den Kalle nehme ich mit. Der bleibt bei mir.

Einer der Onkel sagte: Aber in deinem Alter, Erna!

Darauf lachte die Oma und schrie ihn an: Willst du ihn haben? Quatsch doch nicht rum!

Kalle hatte Oma vorher nur wenige Male gesehen. Gefallen hatte sie ihm immer. Sie sprach ein wenig lauter, als er es sonst gewohnt war, sagte Worte, die nicht immer anständig waren, und behandelte den Vater so, als wäre er so alt wie Kalle. Die Mutter nannte sie Heulsuse, den Vater manchmal Waschlappen. Kalle nannte sie Kalle. Niemals kleiner Mann, Süßer oder Jüngelchen.

Sie nahm ihn ernst.

Es wunderte ihn, wie schnell man eine Wohnung aufräumen konnte und wie schnell die aufgeräumte Wohnung dann leer war. Oma verteilte die Möbel. Das brauche ich alles nicht, sagte sie. Am Schluss hatte Kalle einen Koffer mit seinen Sachen, sonst nichts. Und mit dem Koffer, den Oma schleppte, fuhr er fort aus der Stadt, in der er mit seinen Eltern gelebt hatte. Zur Oma nach München.

Jetzt hab ich den Jungen. Ich bin verrückt, ein altes Weib und ein Kind, das mindestens noch zwölf oder dreizehn Jahre braucht, um selbst durchzukommen. Soll ich wegen Kalle hundert werden? Aber wer von der Verwandtschaft hätte ihn denn genommen? Die hätten ihn am Ende in ein Heim gesteckt. Und das geht nicht, nein! Sicher werden ihm die Eltern lange fehlen. Vor allem sein Vater. Aber das ist auch so ein Geschwätz. Manche Kinder haben Väter, von denen sie gar nicht merken, dass sie Väter sind. – Ich werde mich zusammenreißen und nicht daran denken, dass ich alt bin. Ich und der Kalle werden es schon schaffen.

Was an Oma anders ist

Kalle gewöhnt sich rasch an Oma, wenn er auch ihre Wohnung komisch findet. Aber schließlich hat die Oma alle diese Möbel schon viele Jahre und kann sich seinetwegen nicht neu einrichten. Er hat *fast* ein eigenes Zimmer. Tagsüber näht Oma darin. Abends muss er dann immer Nadeln auflesen, damit er sich nicht in die Füße sticht.

Vieles an Oma ist anders als bei anderen Leuten. An einem der ersten Abende ging Kalle, weil er nicht einschlafen konnte, noch einmal ins Bad, das neben seinem Zimmer liegt. Er erschrak fürchterlich, als er in einem Wasserglas Omas Zähne sah. Er traute sich nicht, sie anzufassen, weil er fürchtete, sie könnten auch ohne Oma zuschnappen.

Am Morgen fragte er: Seit wann kann man Zähne aus dem Mund nehmen? Ich kann das nicht.

Die Oma erklärte ihm: Das sind gar nicht meine Zähne. Meine Zähne sind alle weg, die habe ich verloren. So wie du deine Milchzähne. Nur wachsen zum dritten Mal keine nach. Also kriegt man welche gemacht.

Musst du die auch putzen?, fragte Kalle.

Die Oma wollte nicht weiter über ihre dritten Zähne reden und sagte: Das ist doch alles nicht so wichtig, Kalle.

Der ganze Tageslauf war bei Oma anders als zu Hause, mit Vater und Mutter. Die Oma stand noch früher auf als Vater, obwohl sie nicht ins Büro musste. Sie erklärte auch, warum: Mich zwickt und zwackt es am ganzen Leib. Das ist die Gicht, weißt du.

Kalle konnte sich die Gicht nicht vorstellen und sagte: Besucht dich jemand in der Nacht? Die Gicht?

Die Gicht ist eine Krankheit, sagte die Oma, die man im Alter kriegt.

Schon um sechs rappelte sie im Nebenzimmer herum und dadurch wachte Kalle jedes Mal auf. Nur hatte er keine Lust, ebenso früh aufzustehen, und zog sich die Decke über den Kopf und dachte an Vater und Mutter. Das tat er lange, fast ein Vierteljahr, bis er zur Schule kam und viele Freunde hatte.

Gefrühstückt wurde um sieben. Die Oma hatte eine Tasse, die war dreimal so groß wie die Tassen zu Hause. Es war ihr Kaffeenapf. Den machte sie bis zum Rand voll und schlürfte. Sie tat das, was Mutter ihm verboten hatte.

Er sagte: Schlürf nicht, Oma.

Sie schaute ihn erschrocken an, setzte die Tasse ab und fragte: Sag mal, kannst du so mit mir reden?

Er sagte: Mutter hat immer gesagt, ich soll nicht schlürfen. Und du schlürfst.

Von da an bemühte sich Oma, nicht zu schlürfen. Es

fiel ihr so schwer, dass sie beim Frühstück die Tasse nur zur Hälfte austrank und dann, wenn er im anderen Zimmer spielte, die zweite Hälfte ausschlürfte.

Oma hatte beschlossen, ihn, bevor er in die Schule kam, nicht noch einmal in den Kindergarten zu geben.

Es ist besser, wir gewöhnen uns in diesem halben Jahr aneinander, Kalle, hatte sie gesagt.

Er fand es erst blöd, dann gut. Denn die Tage mit Oma waren abwechslungsreich und es passierte immer wieder etwas. Vormittags trug er mit Oma Zettel aus. Oma bekam diese Zettel von irgendwelchen Fabriken. Auf denen stand, dass im »Astoria« eine Vorführung von Waschmaschinen ist und man auch ein Geschenk bekommt oder dass man unbedingt den Kaffeefilter »Tausendsassa« kaufen soll.

Dafür bekomme ich nicht viel, sagte Oma, aber die Sache hält mich in Bewegung. Außerdem würde ich mir den Kram nie kaufen. Du weißt gar nicht, wie dumm Leute sind.

Wo die Oma hinkam, kannten sie die Leute. Dann machte sie ihren »Plausch«. Das war Kalle eigentlich langweilig. Da er aber oft Bonbons bekam, blieb er dabei und behauptete: Ich find's ganz schön, wenn du austrägst.

Nach dem Austragen wurde eingekauft. Oma war in den Geschäften des Viertels gefürchtet. Sie ließ sich nämlich nichts vormachen.

Sie sagte: Wenn ich jeden Groschen dreimal umdrehen muss, drehe ich auch dreimal das um, was ich mit dem Groschen kaufen will.

Kalle half ihr beim Umdrehen. Das ärgerte die Kaufleute. Einer sagte ihm, er solle seine dreckigen Pfoten von den Gurken lassen, worauf Oma ihn anherrschte: Waschen Sie Ihre Gurken auch so oft wie der Kalle seine Hände?

Die Oma hatte einen tollen Witz und das gefiel Kalle. Sie ließ sich nichts sagen und hatte vor niemandem Angst. Eher hatten die Leute Angst vor ihr. Wenn die Oma ein finsteres Gesicht zog, wurde der Kaufmann besonders freundlich. Sie machte immer neue Sprüche. Zum Beispiel sagte sie dem Bäcker alle drei Tage: Sagen Sie mal, schicken Sie Ihre Semmeln zur Abmagerungskur? Die sind schon wieder kleiner geworden. Und teurer.

Denen fiel dann meistens keine Antwort ein. Kalle begriff aber, dass die Oma ärmer war als die Eltern.

Wenn ich deine Waisenrente bekomme, wird es uns ein wenig besser gehen. Aber die Herren Beamten brauchen immer ihre Zeit. Die denken nicht an uns, sagte sie.

Kalle fragte, wer denn die Herren Beamten seien.

Das sind die Leute, die hinter großen Schreibtischen sitzen, auf denen sie Papier hin und her schieben. Die machen, dass man Geld kriegt oder keines.

Kalle konnte nicht verstehen, dass es so mächtige Leute gab. Manchmal wünschte er sich, auch so mächtig zu sein, um Oma eine Menge Geld zu schenken.

Das Kochen ging bei Oma schneller als bei Mutter. Am Herd vertrödelt man nur Zeit, sagte sie.

Nach dem Essen setzte sich Oma an die Nähmaschine und Kalle ließ sie runter in den Hof. Dort kannte er am Anfang keines der Kinder. Die machten sich über seine Sprache lustig. Er redet wie ein Ausländer, fast wie ein Türke, sagten sie. Ich bin kein Türke, sagte er. Sie glaubten es ihm erst nicht. Als er es Oma erzählte, sagte sie: Warum hast du ihnen nicht gesagt, dass du ein Türke aus dem Ruhrgebiet bist? Mein Gott, die Kinder sind schon so dumm wie ihre Eltern. Die glauben, dass ein Türke ein schlechter Mensch ist, nur weil er ein Türke ist.

Nach einiger Zeit durfte Kalle mit den Kindern spielen. Und wenig später kloppte er sich zum ersten Mal mit Ralph, der schon sieben war und der als Einziger befehlen durfte. Er besiegte Ralph nicht. Aber er kämpfte so gut, dass Ralph ihm nicht böse war.

Ralph hatte einen Fehler. Er konnte nicht richtig reden. Er redete zwischen den Zähnen. Anstatt »siehst du« sagte er »schiehscht du«.

Anfangs hatte Kalle darüber lachen müssen und es auch der Oma erzählt, die ihm sagte: Es ist gemein, wenn du den Ralph auslachst. Fast jeder von uns hat eine Macke.

Ich habe keine, sagte Kalle.

Doch, du hast auch eine, sagte die Oma, weil du meinst, dass du keine hast. Das ist auch schon eine.

Und du?, fragte er.

Weißt du, sagte sie geheimnisvoll, ich habe sogar eine arge. Ich zeige sie dir mal.

Ein paar Tage später kam sie barfuß aus dem Bad, zeigte auf den rechten Fuß.

Siehst du, da ist die kleine Zehe mit der zweitkleinsten zusammengewachsen. Das ist eine von meinen Macken.

Hast du noch mehr?, fragte Kalle.

Denkst du, dass ich dir alle auf einmal verrate?, sagte Oma.

Abends war es ganz anders als zu Hause. Da hatte ihn Mutter gebadet und manchmal, wenn es spät geworden war, war der Vater dazugekommen, hatte gleich mitgeduscht und es war ein richtiges Wasserfest gewesen.

Die Oma hatte ihm schon am ersten Abend den Waschlappen gegeben und ihm gesagt: Nun wasch dich mal.

Da hatte er, weil alles noch so durcheinander war, zu heulen begonnen. Die Oma mit. Deshalb hatte er wieder aufgehört und sich eben selbst gewaschen. Das machten sie von da an immer so. Die Oma setzte sich auf den Rand der Wanne und sah ihm beim Waschen zu.

Man kann dich richtig wachsen sehen, meinte sie.

Aber sie trocknete ihn ab. Das tat sie gern. Sie rubbelte ihn ungeheuer, bis er am ganzen Leib rot war, und sagte jedes Mal: Das tut gut, Kalle, wie?

Eines war auch ganz anders als zu Hause: Wenn die Oma sich wusch, schloss sie sich ein. Offenbar hatte sie Angst vor ihm. Das fragte er sie auch nach einer Weile.

Sie sagte: Ach, Quatsch, Kalle. Nur sind alte Leute nicht mehr schön anzusehen.

Er sagte: Ich glaube, du schämst dich vor mir.

Sie sagte: Das stimmt, Kalle.

Er fand es nicht richtig, konnte aber Oma nicht dazu bewegen, die Badezimmertür offen zu lassen.

Sie sagte: Du bist Kalle und ich bin Oma, du bist klein und ich bin alt. Das ist der Unterschied. Sonst gibt's keinen.

Der Kalle hat schnell spitzgekriegt, dass es hier anders ist als zu Hause. Lieber Himmel, diese »freie Erziehung«! Soll ich denn jetzt morgens oder abends nackig aus dem Bad rennen, nur weil er es von seinen Eltern so gewöhnt ist? Der weiß doch nicht, wie alte Leute aussehn. Und außerdem schäme ich mich. Ich kann das nicht so mitmachen. Ich komme aus einer anderen Zeit. Da war man noch nicht so – wie soll ich sagen? –, so schamlos. Nur ist schamlos das falsche Wort. Die müssen sich heute nicht mehr schämen; und das ist ja eigentlich richtig. Aber ich kann das nicht. Das muss er eben begreifen.

Mit Oma auf dem Amt

Nachdem Kalle gut vier Monate bei Oma war und sie ihn schon für die Schule angemeldet hatte, bekam Oma einen großen Wutanfall. Jeden Morgen hatte sie in den Briefkasten geguckt, ob nicht endlich eine Nachricht vom Amt gekommen sei. Das Amt schickte nichts. So wurde der Zorn von Oma immer größer.

Die tun nichts, schrie sie eines Tages, die fressen ihr eigenes Papier und bohren sich mit dem Bleistift in der Nase. Beamter möchte ich sein!

Kalle konnte sich Oma in einem Büro nicht gut vorstellen. Er wusste, worum es ging. Sein Vormund, der Chef seines Vaters, hatte beantragt, dass Oma mehr oder weniger Kalles Pflegemutter werden sollte, was sie gar nicht werden konnte, höchstens seine Pflegegroßmutter. Und seine Großmutter war sie schon immer gewesen. Also war das ohnehin Unsinn. Nur für das Amt nicht. So lief der Antrag, wie es hieß. Von laufen konnte aber keine Rede sein. Er schlich. Die Oma brauchte die Genehmigung, denn erst danach würde sie seine Waisenrente bekommen. Und das war wichtig. Schließlich war die Oma arm und er fraß ihr, wie sie sagte, fast die Haare vom Kopf weg.

Oma beschloss, »beim Amt vorstellig zu werden«. Wenn die Rede aufs Amt kam, sprach sie immer ungeheuer gestelzt. Du musst mit, sagte sie, die müssen dich dort sehen, du bist mein Beweisstück, Kalle.

Oma zog sich ihr schönstes Kleid an und an ihm putzte sie andauernd herum. Das ärgerte ihn. Ehe sie gingen, aß er noch Haferflocken aus der Tüte, aus Trotz, und war wieder staubig.

Du machst einem alles zuwider! Die Oma war schlecht gelaunt.

Sie fuhren mit der Straßenbahn. Oma schwieg, nein, sie schwieg eigentlich nicht, sie redete leise vor sich hin. Sätze, die sie für das Amt auswendig gelernt hatte. Auf Kalle achtete sie nicht.

Im Amt wurden sie vom Portier zum Zimmer siebzehn geschickt, vor dem sie auf einer Holzbank eine halbe Stunde warteten, wieder ohne zu sprechen. Und als sie endlich drankamen, sagte der ältere, sehr ernst aussehende Mann hinter dem großen Schreibtisch: Nein, dafür ist Zimmer zweiundzwanzig zuständig.

Vorm Zimmer zweiundzwanzig warteten sie von neuem. Kalle merkte, dass die Oma Wut tankte. Sie war kaum mehr zu halten. Gleich würde sie losbrüllen. Der Mann, der sie im Zimmer zweiundzwanzig empfing, war noch ziemlich jung, hatte aber schon graue Haare. Das kam vielleicht von den vielen Leuten, für die er sorgen musste. Er sah Kalle an und sagte dann, so wie ein Pfarrer: Du bist also der Ärmste!

Kalle hatte Lust, die Zunge herauszustrecken. Dann dachte er sich, um der Oma zu helfen, ist es vielleicht besser, wirklich den Ärmsten zu spielen, und er zog ein trauriges Gesicht.

Die Oma setzte sich mit einem Rums auf den einzigen Stuhl vor dem Schreibtisch und sagte: Also, zerfließen Sie mal nicht vor Mitleid. Tun Sie lieber was!

Kalle hatte den Eindruck, dass der Mann gleich aus dem Zimmer fliehen würde. Doch er blieb, er musste ja bleiben, es war ja sein Beruf. Er fragte die Oma nach dem Namen, suchte in einem Schrank und zog eine ziemlich dicke Akte heraus. So viel war schon über Kalle und Oma geschrieben worden.

Im Amt waren sie berühmt. Aber das half ihnen trotzdem nicht.

Der Mann setzte sich hinter den Schreibtisch, sehr würdig, feuchtete den Finger an, blätterte in den Papieren, schüttelte manchmal den Kopf, nickte manchmal und sagte schließlich: Das ist kompliziert.

Kalle wusste nicht, was das bedeutet, und fragte: Was ist kompliziert?

An Stelle des Herrn antwortete Oma: Das weiß ich in dem Fall auch nicht.

Der Mann sagte: Ihr Fall ist nicht ganz einfach. Es handelt sich nicht um eine Pflegestelle, sondern Sie sind eine Verwandte, genauer gesagt, die Großmutter.

Oma sagte: Was Sie nicht sagen!

Der Mann sagte: Machen Sie mit mir keinen Spaß!

Oma sagte: Das ist für mich überhaupt kein Spaß. Glauben Sie das bloß nicht. Wann also kriegt das Kind die Rente?

Der Mann fragte: Sie sind darauf angewiesen?

Oma stand auf, schob den Stuhl mit einem Ruck von sich weg und sagte: Na, hören Sie mal, Sie wissen doch, wie hoch meine Rente ist. Das steht doch da drinnen und Sie wissen auch, was so ein Bengel am Tag vertilgt und dass er Strümpfe und Hosen zerreißt, dass er was braucht. Bin ich ein Krösus? Bin ich eine Fabrik?

Kalle fand das Amt jetzt prima. Er sagte: Ich esse wirklich eine Menge. Die Oma hat Recht. Und das mit den Hosen stimmt auch.

Oma sagte: Also bitte!

Da begann der Mann zu lachen. Er sagte: Ich werde versuchen, den Vorgang zu beschleunigen.

Oma sagte: Beschleunigen Sie mal, sonst stehe ich nächste Woche wieder da, das schwöre ich Ihnen!

Der Mann lachte wieder und sagte: Es wäre mir ein Vergnügen. Aber ich werde alles tun, damit die Sache in Ordnung kommt.

Er verabschiedete sich von beiden mit Handschlag. Kaum waren sie auf dem Gang, machte Oma einen kleinen Satz, einen kleinen Hüpfer (so richtig hüpfen konnte sie nicht mehr) und sagte: Wir können es fabelhaft miteinander, Kalle. So müssen wir weitermachen. Da wird jeder Beamte weich.

Das fand Kalle auch.

Ich kann mir nicht vorstellen, einmal wieder ohne Kalle leben zu müssen. Sicher, der Bursche strengt mich an und abends bin ich todmüde, so fertig macht er mich. Aber das ist vielleicht eine Sache der Gewöhnung. Und schließlich wird er auch größer.

Oft erinnert er mich an seinen Vater und dann denke ich mir, ich hab eben wieder einen Sohn. Aber das ist auch wieder dumm. Denn ich kann gar nicht so mit ihm umgehn, als wäre er mein Sohn. Dazu bin ich zu alt. Seine Mutter wäre schon besser für ihn.

Komisch, warum ich mich noch immer aufrege, wenn ich an sie denke. Eigentlich war sie ja nicht übel. Sie war eine gute Mutter. Sie machte nur alles anders als ich. Sie passte nicht so auf das Kind auf. Die müssen früh lernen, sich durchzusetzen, behauptete sie immer. Das schon, doch helfen muss man ihnen dabei. Sie sagte, das tue sie auch. Ich fand es nicht. Wir verstanden uns nicht, das stimmt. Sie ging mir auf die Nerven. Und ich ihr bestimmt auch. Jetzt denke ich manchmal: Es ist schade, dass ich so oft mit ihr gestritten habe.

Wenn Oma erzählt

Kalle kann nicht verstehen, dass Oma andauernd von früher erzählt. Was sie gestern erlebt hat, interessiert sie gar nicht so sehr. Aber was sie vor zwanzig Jahren erlebt hat oder vor vierzig, das weiß sie noch ganz genau. Sie weiß noch, wie sie zum ersten Mal mit der Eisenbahn fuhr, wie sie den Opa heiratete, welches Kleid sie dabei anhatte und was man da aß.

Dem Kalle ist das ziemlich egal.

Die Oma sagt immer: Das hilft einem, Kalle. Die Gegenwart ist nicht immer das Beste.

Das ist der Unterschied zwischen Kalle und Oma. Für Kalle gibt es ganz klar nur das, was am Tag passiert, was er mit seinen Freunden ausmacht, was er erlebt hat und was er plant.

Die Oma hält das für unwichtig. Nur dann nicht, wenn sie sich darüber aufregen muss. Lieber regt sie sich aber über Sachen auf, an die sie sich noch »besonders« erinnert.

Weißt du, Kalle, als der Opa unter die Straßenbahn kam und ihm beinahe das Bein abgefahren wurde, aber nur beinahe, das kann ich nicht vergessen. Wie man den armen Mann ganz blutverschmiert nach Hause brachte und er sagte: Es ist nicht so schlimm, und ich dachte, der

Mann verblutet mir unter den Händen. Ja, darüber komme ich nicht hinweg.

Dabei ist die Oma längst darüber hinweggekommen. Sie findet ihre Erinnerungen nur immer aufregend. Sieht sie im Fernsehen einen spannenden Film, sagt sie: Das ist doch alles erfunden. Die können mir doch nichts vormachen. Weißt du, Kalle, als unsere Wohnung ausgebombt war ...

Dann kommt eine Geschichte, die Kalle schon viele Male gehört hat, nur dass sie jedes Mal ein bisschen anders passiert ist. Oma erzählt: Dein Vater war da gerade in die Lehre gekommen, als das anfing mit den Bombenangriffen. Es kann sein, er war auch noch auf der Schule. Kurz vorm Kriegsende haben ihn diese Wahnsinnigen noch zu den Luftwaffenhelfern eingezogen. Da musste er Bomber abschießen. Diese Kinder haben die hinter Kanonen gesetzt!

Das finde ich toll, unterbrach sie Kalle.

Toll? Nur weil ihr immer mit euern Knallpistolen rumrennt und Krieg spielt, findest du das toll? Ich kann dir sagen, ein echter Krieg gefällt auch Kindern nicht. Denen geht es im Krieg besonders schlecht. Denk mal an die armen Würmer in Vietnam. Ja, wo war ich stehn geblieben?

Beim Papa, sagte Kalle.

Richtig. Der war noch zu Hause. Und bei dem großen Angriff saß er mit mir im Keller. Das Wummern der

Bomben kam immer näher. Vor Angst wurde ich ganz steif. Ich nahm den Jungen in den Arm. Kurz darauf begann die Erde zu beben. Von der Kellerdecke fielen Brocken herunter. Das muss bei uns gewesen sein, sagte jemand. Das war auch bei uns. Das Haus stand zwar noch. Oder fast. Ein Stück vom Dach war weggerissen worden. Doch in unserer Wohnung war nichts mehr an seinem Platz. Und Fensterscheiben gab's nicht. Wir schliefen erst mal bei Bekannten und begannen tagsüber die Wohnung auszubessern. Anstelle von Glas kam Pappe in die Fenster.

Kalle hörte nicht sonderlich aufmerksam zu, weil er die Geschichte schon kannte. Er dachte an ganz andere Sachen. Wie er zum Beispiel Oma klarmachen konnte, dass es gar nicht schlimm ist, wenn er im Nebenhof spielt, weil dort Kinder sind, mit denen er besser auskommt.

Die Oma will das nicht. Wenn ich aus dem Fenster gucke, muss ich dich sehen, sagt sie. Du bist so schon selbstständig genug. Ich will ja, dass du ohne Hilfe durchkommst, Kalle, aber ...

Was heißt »ohne Hilfe«?

Also, dass du mir nicht immer am Gängelband bist. Aber aufpassen muss ich doch.

Und dann erzählte Oma gleich wieder eine Geschichte von ganz früher, wo es fast noch keine Autos gab und Flugzeuge mit vier Flügeln, Doppeldecker, von denen

Oma schwärmt. Die konnten einfach nicht runterstürzen, Kalle. Wenn ein Flügel abbrach, hatten die immer noch drei.

Als Kalle das seinem größeren Freund erzählte, lachte der und sagte, das sei völlig Wurscht, wie viel Flügel ein Flugzeug hat. Eine Rakete habe gar keine und sie sei am schnellsten. Kalle berichtete das Oma. Die war entsetzt. Raketen bringen bloß Leute um, sagte sie.

So kamen Kalle und Oma eigentlich nie wirklich miteinander zurecht, weil es der Oma lieber war, von ihrer Zeit zu reden, die der Kalle nicht kannte und die auch sehr komisch gewesen sein musste.

Also gut, der Junge muss doch wissen, wie es früher war. Zum Beispiel, wie ich jung gewesen bin und noch nicht Erna Bittel, sondern Erna Mauermeister hieß. Weshalb sind ihm diese Geschichten langweilig? Nur wenn ich vom Krieg erzähle, horcht er auf, will genau wissen, ob ich erlebt habe, wie geschossen wurde, und ob es Tote gegeben hat. Das Kriegerische muss in den Kindern stecken. Es ist grässlich. Heute, als mir einfiel, wie ich Otto kennen lernte und wie ich vor Aufregung Schluckauf bekam, der stundenlang anhielt, da sagte Kalle nur: Die Geschichte kenn ich schon. Ich weiß ganz genau, dass ich sie noch nie erzählt habe. Vielleicht ist das tatsächlich alles schon zu lange her.

Oma sorgt für Gerechtigkeit und Kalle schämt sich für sie

Kalle hatte Krach mit Ralph. Sie prügelten sich. Ralph zog so lange an Kalles Hose, bis sie einen langen Riss hatte und dem Kalle auf die Knie rutschte. Oma hörte, dass es unten im Hof Krach gab. Sie war an diesem Tag schon zweimal die Treppen vom fünften Stock hinunter- und heraufgegangen – und das genügte ihr eigentlich. Aber der Streit im Hof machte sie unruhig. Sie kam runter. Sie sah den Riss, die kaputte Hose und fragte: Wer hat das getan? Wer hat dem Kalle seine beste Hose kaputtgemacht?

Zum Kalle sagte sie: Ich habe dir doch gesagt, wenn du spielst, sollst du die geflickte Hose anziehen.

Sie fragte noch einmal: Wer war das?

Ein paar Kinder waren schon weggerannt und die, die übrig geblieben waren, auch der Ralph, sagten nichts. Kalle auch nicht.

Oma sagte: Soll ich euch einzeln an den Ohren nehmen?

Eines der Kinder sagte: Das dürfen Sie nicht. Da werden Sie bestraft.

Oma sagte: Früher durfte man das und ich darf, was ich will.

Kalle sagte: Das ist nicht richtig, Oma. Du darfst gar nicht, was du willst. Du darfst auch keine fremden Kinder verhauen.

Die Oma wurde zornig und ging Schritt für Schritt auf die Kinder zu, die stehen blieben und sie ansahen.

Feige seid ihr, sagte sie.

Kalle verteidigte seine Freunde. Sie sind nicht feige, sagte er, die Hose ist einfach so zerrissen, beim Spielen.

Jetzt schwindelst du auch noch, sagte Oma. Erst feige sein und dann lügen. Pfui Deibel!

Kalle merkte, dass Oma jetzt erst richtig wütend wurde. Er versuchte, sie zu beruhigen. Das ist nicht so schlimm mit der Hose. Wenn du sie zusammennähst, ist sie wieder meine gute Hose, sagte er. Und ich ziehe beim Spielen immer die andere an, bestimmt.

Das ist doch alles Quatsch, schimpfte die Oma. Es geht mir doch um die Gerechtigkeit.

Kalle verstand nicht, was sie mit Gerechtigkeit meinte.

Auch die anderen Kinder verstanden es nicht.

Was willst du denn?, fragte Kalle.

Ich will, dass ich weiß, wer es war.

Und dann?, fragte Kalle.

Und dann will ich ihm sagen, dass es nicht richtig war. Und ich werde seiner Mutter sagen, sie soll dir die Hose ersetzen.

Das geht nicht, sagte Kalle.

Aber das ist Gerechtigkeit, sagte Oma.

Und wenn die Hose teuer ist?, fragte Ralph.

Dann hast du also die Hose zerrissen?, sagte Oma.

Kalle wurde es angst und bange und er versicherte, Ralph sei es nicht gewesen.

Wieder geriet Oma in große Wut. Sie nahm Ralph, der abhauen wollte, am Arm, schüttelte ihn und Kalle rief: Tu ihm bloß nichts. Wegen deiner Gerechtigkeit.

Oma schrie: Ich könnte euch alle einzeln verdreschen.

Kalle war traurig und schämte sich. Am Abend sagte er zu Oma: Das war nicht richtig im Hof.

Dann näh du doch die Hose, sagte Oma.

Kalle wusste, dass es der Oma nicht nur um die Hose ging. Aber wie hätte er ihr helfen können?

Ich verstehe doch nichts von »moderner Erziehung« und all dem neuen Zeug. Falsch will ich auch nichts machen. Ach, rutscht mir doch alle den Buckel runter! Dass er sich meistens den dreckigsten, lautesten, gemeinsten Kerlen anschließt, gefällt mir nicht. So richtige Hinterhäusler. Gut, wir sind auch nicht mit Reichtümern gesegnet, nur würde ich mich schämen, so zu verkommen. Der Kalle findet das nicht. Er sagt, die haben eben keine Oma, Oma, das ist alles und das ist wichtig. Und das kannst du denen nicht vorhalten. Vielleicht hat der Besserwisser ja Recht.

Mit Oma in den Ferien

Jetzt ist Kalle schon drei Jahre bei Oma und zwei Jahre in der Schule. Er hat eine Menge Freunde und kann sich gar nicht vorstellen, dass es irgendwann einmal anders war. Manchmal fragen ihn Leute, ob es denn mit der Oma immer gut ginge. Kalle findet diese Frage dumm. Er weiß gar nicht, wie es anders gehen könnte. Er hat eben ab und zu Krach mit ihr, doch meistens findet er sie prima. Sie klagt auch längst nicht so viel wie die anderen alten Frauen, mit denen sie sich am Samstag zum Kaffeeklatsch trifft. Die stöhnen schon, wenn sie zur Wohnungstür hereinkommen. Die eine hat Stiche im Bein, die andere nach jedem Essen den Schluckauf und die dritte schimpft auf ihren Mann. Jedes Mal, wenn die alten Weiber auftauchen, haut Kalle ab und Oma findet das richtig so. Sie hat sich auch daran gewöhnt, dass Kalle seine Freunde jetzt selber auswählt. Sie redet ihm nicht mehr rein wie am Anfang.

Zum achten Geburtstag hatte sie Kalle eine neue Hose und – das ist etwas ganz Besonderes – eine gemeinsame Ferienreise geschenkt. Oma hatte seit, wie sie sagte, gut dreißig Jahren keinen Urlaub mehr gemacht. Und der letzte, an den sie sich erinnerte, in Tegernsee, sei auch völlig verregnet gewesen. Tegernsee ist nicht weit von München, aber für die Oma, die nicht wie ein Autofahrer denkt, ist Tegernsee schon sehr entfernt. Kalle, dem Oma schon ein paar Mal von ihrem letzten Urlaub erzählt hatte, fürchtete, nun ginge es wieder nach Tegernsee, und in Tegernsee war er schon mit der Schulklasse gewesen. Für Ferien war das, fand er, einfach nicht weit genug weg. Andere Schulkameraden erzählten von Spanien, Italien oder Holland, auch von der Ostsee. Darauf sagte er (das hatte ihm Oma geraten): Wir haben Balkonurlaub gemacht.

Da er nicht an Ferien gewöhnt war, brauchte er keine.

Die Oma sagte: Da fahren sie nun nach Spanien, um sich dort weiterzustreiten, und kommen völlig kaputt zurück.

So war das nicht ganz, fand Kalle, doch in allem, was die Oma behauptete, steckte immer etwas Richtiges. Auch da. Sein Freund Eberhard hatte ihm nämlich erzählt: Wir sind in Spanien am Meer gewesen, es war schön, aber dann haben die Eltern Krach gehabt und die Mama hat mit dem Papa bis zum Schluss nicht mehr gesprochen. Erst als er auf dem Heimweg auf der Autobahn beinahe in einen Laster krachte, hat sie ihn wieder angeschrien.

So stellte sich Kalle Ferien nicht vor.

Auf einen Zettel hatte Oma geschrieben:

Gutschrift für Kalle (und Oma)
Urlaub für zwei Personen vom 14.7.–28.7.
in Furth im Wald
bewilligt und genehmigt von Oma

Kalle las den Zettel, fand ihn erst einmal komisch, und die Oma fragte, während er las, dauernd: Na? Na? Was sagst du, Kalle? Na?

Kalle sagte nach einer Weile: Wo ist denn das, Furth im Wald? Richtig im Wald?

Oma erwiderte: Ja, das ist richtig im Bayerischen Wald. Eine Bahnstation ist es auch. Das ist wichtig. Da müssen wir nicht mit dem Bus fahren. Ich kenne mich da nicht so aus. Weißt du, das Fräulein Bloch, das auch immer zum Kaffee kommt, war dort in den Ferien und hat uns ein Quartier besorgt. Das kann ich gerade noch zahlen. Die Leute, noch richtige Bauern, sollen freundlich sein.

Schon eine Woche vor der Abreise war die Oma nicht mehr zu halten. Dauernd packte sie Koffer ein und aus. Kalle, der ihr sagte, sie solle doch nicht so blöd sein, jetzt schon den Koffer zu packen, wurde von ihr aus dem Zimmer geschickt. Sie sagte: Das verstehst du nicht. Ich bin das Reisen nicht mehr gewöhnt.

Kalle sagte: Aber ein Koffer genügt. Ich muss nicht so viel mitnehmen.

Der Zug fuhr schon um sechs Uhr morgens ab. Mitten in der Nacht stand die Oma auf. Um drei Uhr weckte sie Kalle. Sie war fertig für die Reise angezogen. So hatte er sie noch nie gesehen. Sie hatte ein Kostüm an, mit einem Rock, der fast bis zu den Knöcheln ging.

Er sagte: Kannst du den Rock nicht ein bisschen kürzer machen?

Sie sagte: Das ist doch schade um den Stoff. Und Mode ist es auch.

Sie trug auch einen neuen Hut. Oder einen alten. Auf jeden Fall einen, den sie sonst nie aufhatte. Sonst trug sie Kopftücher. An dem Hut war eine große Nadel mit einer Perle.

Kalle sagte: Du stichst damit die Leute.

Oma sagte: Das ist eine Hutnadel. Das gehört sich so; ein Hut mit Hutnadel. Mäkel nicht dauernd an mir herum.

Er zog sich an. Sie tranken im Stehen Kaffee, aßen Butterbrote und kurz vor vier sagte die Oma: Jetzt müssen wir gehen.

Kalle fragte, ob denn schon eine Straßenbahn fahre.

Wir müssen zum Bahnhof laufen, antwortete die Oma.

Aber der Koffer ist schwer, rief Kalle.

Da habe ich eine Geheimwaffe, sagte die Oma.

Sie schleifte den riesigen Koffer, auf den ein Schirm

und der Spazierstock vom Opa gebunden waren, die Treppe hinunter, und als sie unten angelangt war, setzte sie den Koffer neben sich aufs Trottoir und fuhr mit ihm los. Unter den Koffer waren kleine Räder geschnallt.

Die sind noch von Opa, erklärte sie. Kalle fand mit einem Mal alles ganz fabelhaft. Sie waren viel zu früh auf dem Bahnhof. So konnte Oma jeden Bahnsteig prüfen, jedes Schild, und war sich am Ende immer noch nicht sicher, ob ihr Zug auch wirklich vom Bahnsteig sechs abfahre. Sie fragte hintereinander fünf Bahnbeamte. Jeder gab die gleiche Auskunft. Kalle wurde allmählich zornig und sagte: Wenn du jetzt noch einen fragst, laufe ich weg.

Die Bahnfahrt machte Spaß. Oma hatte ausgiebig Reiseproviant mit und unterhielt alle Leute im Abteil. Beim Umsteigen war sie schon nicht mehr so ängstlich. In Furth im Wald fragte sie am Fahrkartenschalter nach der Adresse des Bauern. Ob das weit sei. Der Beamte sagte: Zu Fuß gut zwei Stunden.

Dem Kalle wurde es mulmig. Er war sicher, die Oma würde den Koffer neben sich auf den Asphalt setzen und kilometerweit gehen. Aber Oma war schon reisegeübt.

Sie fragte: Kommt man da irgendwie hin?

Es fährt ein Bus direkt vom Bahnhof ab. Wenn Sie sich beeilen, bekommen Sie ihn noch, sagte der Beamte.

Was für eine Linie?, fragte Oma.

Es ist der einzige Bus, der vor dem Bahnhof steht, erklärte der Mann.

So kamen sie ohne weitere Hindernisse zu dem Bauern. Ein richtiger Bauer war das nicht, sondern einer, der ein paar Kühe hatte, aber mehr Zimmer als Kühe, und in den Zimmern wohnten lauter Leute, die bei ihm Ferien machten. So hat jeder Bauer seine Kühe, sagte Oma später, wenn sie ihren Freundinnen vom Urlaub erzählte. Und wir sind schön gemolken worden.

Ihr Zimmer, sie hatten nur eines, war nicht groß und direkt unterm Dach. Das Klo befand sich einen Stock tiefer, was Oma bemängelte. Sie könne nicht jede Nacht durch das Haus geistern.

Dann brauche sie eben ein Nachtgeschirr, sagte die Bäuerin unwillig.

Kalle, der nicht fragen wollte, stellte sich unter einem Nachtgeschirr eine Art Pferdehalfter vor, das sich die Oma aus Sicherheitsgründen in der Nacht umlegen musste.

Als er das Oma sagte, lachte sie: Die meint, ich brauche einen Nachttopf.

Er fand das gemein von der Bäuerin.

Die Oma ging tatsächlich jede Nacht durch das Haus, polterte und stöhnte und weckte fast alle Leute auf. Kalle war sicher, sie tat das nur, um die Bäuerin zu ärgern.

Bisher war die Oma darauf bedacht gewesen, ihr Zimmer vor Kalle zu hüten. Nun wohnten sie zusammen und mussten zum ersten Mal im gleichen Zimmer schlafen. Davor hatte Kalle Angst. Die Oma richtete es jedoch so ein, dass er meistens schon schlief, wenn sie abends auf das Zimmer kam. In der Wohnstube des Bauernhauses stand ein Fernseher, vor dem saßen allabendlich die Feriengäste. Die Oma auch. Kalle musste mindestens zwei Stunden vor Programmschluss zu Bett gehen.

Einige Male war er aber wach und hörte, wie Oma sich auszog. Das endete überhaupt nicht. Kalle malte sich aus, dass die Oma vier oder fünf Kleider übereinander anhatte oder Unterröcke, denn so lange zog sich kein normaler Mensch aus. Hatte sie sich ins Bett gelegt, schlief sie sofort ein und schnarchte. Sie schnarchte nicht richtig, sie röchelte vor sich hin. Dem hörte er zu und konnte deshalb nicht wieder einschlafen.

Doch am nächsten Morgen bestand die Oma darauf, ungeheuer schlecht geschlafen zu haben, sie habe gehört, wie er sich im Bett herumgewälzt habe. Wenn Kalle dann sagte: Ich habe doch ganz ruhig auf dem Rücken gelegen, ziemlich lange, dann sagte sie: Das kannst du gar nicht wissen, du hast doch geschlafen wie ein Murmeltier.

Die Gäste waren fast alle ältere Leute. Nur zwei Kinder waren noch da. Der eine Junge kam aus Wuppertal, hieß Bernd und war ein Jahr jünger als Kalle, der andere kam aus Berlin und war schon vierzehn und langweilte sich. Mit Bernd ging Kalle in die Ställe und in die Scheune. Sie dachten sich viele Spiele aus, die man in der Stadt nicht machen kann. Den Bernd fand er nett. Die Oma fand ihn auch nett. Nur seine Mutter sei eine dumme Schickse, sagte sie. Kalle konnte sich unter »Schickse« nichts vorstellen, traute sich aber nicht zu fragen, was das denn nun wieder sei. Wenn Oma solche Wörter sagte, meinte sie meistens etwas Böses.

Oma bekam Krach mit der Wirtin wegen des Muckefucks, des Kaffees am Morgen, von dem sie meinte, ihn könne man nicht trinken, er sei Spülwasser. Den ganzen Tag über sei ihr von dem Zeug übel. Die Wirtin regte sich entsetzlich auf. Das habe ihr noch niemand gesagt. Sie habe schon eine Menge Gäste gehabt. So unverschämt sei noch keiner gewesen. Sie mache einen guten, starken Kaffee. Die Oma lachte höhnisch. Dann sagte sie den Satz, der die Bäuerin vollends aus der Fassung brachte: Wahrscheinlich tunken Sie einen Kuhschwanz in das kochende Wasser. So schmeckt das nämlich. Die Bäuerin forderte Oma auf, sofort das Haus zu verlassen. Die Oma sagte, sie denke gar nicht daran, sie und ihr Enkel seien zahlende Gäste.

Deshalb blieben sie. Der Kaffee wurde, fand Oma, noch schlechter. Jetzt rächt sich das Weib an mir, sagte sie.

Bei dem einzigen größeren Ausflug, den Oma mit ihm machte, fiel sie in eine Rübengrube. Die Grube sah man nicht, da sie mit Strohballen bedeckt war. Oma hätte sie ohnehin nicht bemerkt: Sie lief einem Schmetterling nach. Plötzlich war sie weg. Kalle hörte sie aus der Erde heraus schreien. Nein, sie schrie nicht, sie jammerte. Das brachte Kalle durcheinander. Solange die Oma brüllte, war alles in Ordnung. Wenn sie jammerte, fehlte ihr ernstlich etwas.

Kalle rief: Wo steckst du denn, Oma?

Das hörst du doch, blöder Kerl, antwortete sie und Kalle war nun sicher, dass ihr nichts passiert sei. Er trat an den Rand der Grube, sah ein Loch mitten im Stroh und hörte Oma schnaufen. Sie arbeitete sich hoch.

Kannst du mal einen Ast holen?, sagte sie.

Wozu denn das?

Frag doch nicht so dumm. An dem kannst du mich herausziehen.

Mach ich, sagte Kalle.

Er fand einen langen, ein wenig morschen Ast und hielt ihn in die Grube hinein. Er spürte Omas Gewicht. Sie war sehr schwer. Zieh doch, rief sie.

Er zog, der Ast brach ab und die Oma jammerte von neuem. Mit ihm könne man auch nichts anfangen. Nach einer Pause, einem Schweigen, das ihn einschüchterte, hörte er, wie die Oma Rüben aufeinander schichtete.

Was machst du?, fragte Kalle.

Ich baue mir eine Treppe, sagte sie.

Diese Treppe kam sie nach einer Weile ächzend hoch. Sie stand bis zum Bauch aus der Erde heraus, schaute ihn wütend an und fragte: Was nun? Soll ich fliegen?

Kalle sagte: Ich weiß auch nicht.

Oma versuchte zu fliegen. Sie sprang hoch, klammerte sich an den Rand der Grube, bewegte ein Bein wie ein Frosch und kam Stück für Stück über den Rand. Kalle musste lachen. Erst kniete Oma, dann stand sie auf, dann wischte sie den Rock ab, dann knallte sie Kalle eine.

Auch noch lachen, schimpfte sie. Mir reicht's. In die Ferien gehe ich nie wieder.

Als sie am Abend im Aufenthaltsraum saßen, erzählte Oma die Grubengeschichte ganz anders, als sie geschehen war. Viel toller und spannender. Vor allem, wie sie wieder herauskam. Das geschah, wenigstens in ihrer Geschichte, mit einem einzigen Satz.

So kann ich noch springen, sagte sie, ich alte Frau.

Kalle ärgerte es, dass sie schwindelte.

In der Nacht, als er aufwachte, fragte ihn Oma, warum er nicht schlafe.

Er hätte sagen können: Weil meine Nase verstopft ist. Er sagte aber: Weil du heute geschwindelt hast.

Oma lachte, sagte: Weißt du, wenn man so wenig erlebt wie ich, muss man schon etwas dazuerfinden. Findest du nicht?

Kalle war damit nicht einverstanden.

Es war tatsächlich der einzige Urlaub, den sie gemeinsam verbrachten. Mit der Zeit erfand Oma immer neue Geschichten über die Ferien, umwerfende Abenteuer, und Kalle gewöhnte sich daran, etwas erlebt zu haben, was nur in Omas Kopf passiert war. Er warf ihr auch nicht mehr vor, dass sie schwindelte. Wenn Oma schon nicht reiste, musste sie erzählen können.

Bin ich nun Frau Erna Bittel oder bin ich eine Dahergelaufene, die man nach Lust und Laune anpfeifen kann? Nein, so reise ich nie mehr weg, und wenn sich der Kalle auf den Kopf stellt. Das bin ich nicht gewöhnt. Ich hab arbeiten müssen und bin mit den Leuten zurechtgekommen. Fremde Gesichter machen mich kribbelig. Aber das Kind soll ja was von der Welt sehn! Ich werd schon was finden. Mir ist unsere Straße hier in München auf jeden Fall lieber als der feine Urlaub im Bayerischen Wald. Und wenn ich dem Kalle immer hinterdrein schnauf, ich altes Weib. Es ist besser, er geht dann in ein Ferienlager, weil es ja vor allem um den Auslauf, um Abenteuer und die frische Landluft geht.

Die Fürsorgerin besucht Oma und Kalle

Kalle war in der dritten Klasse. In der Schule klappte es nicht ganz. Die Oma half ihm bei den Aufgaben, aber manchmal konnte sie nicht mehr und erklärte: Das dumme Zeug macht mir Kopfweh. Warum müsst ihr armen Zwerge nur so viel lernen?

Kalle fand das auch. Er beschloss, der Oma weniger Aufgaben aufzugeben, sich selber natürlich auch, und machte wenigstens die Hälfte der Aufgaben nicht. Seine Lehrerin, Frau Riemer, nahm das eine Weile hin. Sie schimpfte nur ein bisschen. Nach drei Wochen gab sie ihm einen Brief an Oma mit. Den warf er in einen Gully. Am Abend hatte er aber ein so schlechtes Gewissen, dass er zur Oma sagte: Du, ich habe heute einen Brief an dich weggeschmissen.

Wer ihr denn den Brief geschrieben habe, wollte Oma wissen.

Frau Riemer, sagte Kalle.

Weißt du, was im Brief drinstand?, fragte Oma.

Nein, sagte Kalle.

Dann frag morgen die Frau Riemer, befahl die Oma.

Kalle bekam Angst und weinte.

Ich werde morgen hingehen, sagte Oma.

Kalle sagte: Morgen ist keine Sprechstunde.

Das ist mir Wurscht, sagte Oma. Schließlich muss ich wissen, was mir geschrieben worden ist.

Die Oma kam mitten im Unterricht. Die Tür ging auf und Oma stand in der Klasse. Kalle rutschte vor Scham fast unter die Bank. Seine Kameraden kicherten. Aber die Oma blieb ernst. Und Frau Riemer war verdutzt.

Sie fragte die Oma, was sie denn so überraschend herführe.

Der Brief, sagte Oma.

Nicht wahr, das ist schlimm, sagte Frau Riemer.

Das finde ich auch, sagte Oma.

Da müssen wir Abhilfe schaffen, sagte Frau Riemer.

Wo Abhilfe schaffen?, fragte Oma.

Haben Sie den Brief nicht verstanden?, fragte Frau Riemer.

Ich habe ihn nicht gelesen, sagte Oma.

Wie können Sie dann wegen dem Brief kommen, wenn Sie ihn nicht gelesen haben? Frau Riemer wunderte sich.

Weil er nicht mehr da ist.

Hat Ihnen der Kalle den Brief nicht gebracht?

Er ist einfach weg. Irgendwo verschwunden. Ich habe ihn verlegt, sagte die Oma. Und Kalle hatte sie gern.

Frau Riemer ging mit Oma aus der Klasse und kam nach ein paar Minuten wieder. Sie strich Kalle über den Kopf. Es wird schon wieder gut, sagte sie.

Kalle war gespannt, von der Oma zu hören, was ihr Frau Riemer vor dem Klassenzimmer erzählt hatte. Die Oma schnaufte wieder einmal.

Du machst deine Schulaufgaben nicht. Oder nur halb. Und dauernd falsch, schimpfte sie.

Du kannst sie doch auch nicht, sagte Kalle.

Ich bin kein Schüler, stellte Oma fest.

Aber du bist alt, Oma, du musst das wissen, sagte Kalle.

Ich habe eine Menge vergessen, sagte sie.

Sie berieten miteinander, wie man die Schulaufgaben so machen könnte, dass nicht allzu viele Fehler übrig blieben. Oma seufzte, sie müsse halt mit ihm aus seinen Büchern lernen.

Vielleicht brachte die Sache mit dem Brief die Fürsorgerin ins Haus. Es konnte sein, dass das Jugendamt von der Schule verständigt worden war, denn der Direktor und die Klassenlehrerin wussten, dass Kalle als Vollwaise auch unter der Obhut des Jugendamtes stand. Vielleicht hatte das Jugendamt auch überhaupt einmal prüfen wollen, wie der Kalle Hausaufgaben macht, ob er einen ruhigen Arbeitsplatz hat und ob ihm die Oma, wenn es darauf ankommt, helfen kann. Jedenfalls kam die Fürsorgerin. Sie war sehr hübsch anzusehen und hatte dicke grüne Schatten über den Augen. Sie gefiel Kalle. Oma gefiel sie nicht. Oma hätte sie am liebsten aus dem Fenster geschmissen. Die Fürsorgerin saß am Tisch in der Wohnküche, die Oma stand vor ihr, Kalle hatte sich aufs Sofa verdrückt. Sie fragte ungeheuer viel. Warum Kalle nach dem Tod seiner Eltern von Oma aufgenommen worden war, ob es noch jüngere Verwandte gäbe, ob Oma ansteckende Krankheiten gehabt habe, ob sie oft zum Arzt gehen müsse, ob Kalle Schwierigkeiten mit dem Lesen habe, ob Kalle ein eigenes Zimmer habe.

Und die Oma führte sie durch die Wohnung, mit dem falschen Gebiss knirschend, zeigte Kalles Bett, sagte: Das ist schön weich und schön sauber. Hob am Herd den Deckel vom Topf und sagte: Ordentlich zu essen bekommt der Junge auch.

Das Fräulein nickte zu allem.

Oma konnte ihre Wut nicht mehr halten. Sie schob die junge Frau wieder zum Stuhl, drückte sie nieder, ließ ihre Hände auf den Schultern der Fürsorgerin, blies ihr ins Gesicht und sagte ganz leise: So, Fräuleinchen, was wollen Sie nun eigentlich? Bin ich eine Hexe aus dem Märchen? Bin ich ein Depp? Kann ich mich nicht mehr regen? Habe ich den Nachbarn meinen nackten Hintern gezeigt? Hat der Kalle geklaut? Oder was?

Das Fräulein versuchte zu lächeln, was ihm nur schwer gelang, und erwiderte ebenso leise: Das alles nicht. Nur ist die Schule auf Kalle aufmerksam geworden, Frau Bittel, weil er seine Aufgaben nicht ordentlich macht. Da meinten wir …

Was meinten Sie?, fragte Oma drohend.

Nun ja, dass die Verhältnisse …

Was für Verhältnisse?

Ja, diese hier, Ihre.

Jetzt schrie Oma: Ich habe keine Verhältnisse. Schon lange nicht mehr. Was unterstehen Sie sich?

Kalle versuchte, aus dem Zimmer zu schleichen. Die Oma packte ihn und sagte: Bleib hier. Das musst du hören. Ich brauche einen Zeugen.

Seitdem Oma häufig auf Ämtern war, wollte sie immer einen Zeugen haben. Das ist wichtig, sagte sie. Die hauen einen immer übers Ohr.

Das Fräulein war derart eingeschüchtert, dass es nicht mehr über Verhältnisse redete, sondern meinte, sie finde alles in Ordnung, nur wolle sie alle zwei Monate zu Besuch kommen und, wenn es notwendig sei, auch helfen. Die Oma wurde wieder freundlicher, sagte aber noch: Geholfen hat mir bisher niemand, Fräuleinchen, und jetzt ist es schon zu spät. Der Kalle ist aus dem Gröbsten heraus.

Da sagte das Fräulein etwas, was Kalle entsetzte: Es könnte Ihnen ja mal etwas zustoßen. Oder Sie könnten so krank werden, dass Sie ins Spital müssen. Was geschieht dann mit dem Kind?

Die Oma schob das Fräulein aus der Tür und antwortete: Das gibt's nicht.

Dieses »Das gibt's nicht« wiederholte sich Kalle immer, wenn er sich ausmalte, Oma könnte mit dem Krankenauto weggebracht werden oder womöglich sterben.

Das gibt's nicht!

Es kann sein, dass ich was falsch mache, mit Kalle. Jetzt die Sache mit dem Brief. Bin ich womöglich zu gut mit ihm? Aber was heißt schon gut. Mir ist lieber, ich rede mit ihm, als dass ich ihn anbrülle. Brüllen strengt mich auch an. Gut, ich bin gut zu ihm, weil ich ihn gern hab. Man sagt doch auch, Liebe ist das beste Erziehungsmittel. Und nun soll es nicht mehr ausreichen? Nun lügt der Bursche und kommt herunter? Ach Quatsch, ich rede mit ihm, ich nehm ihn ein bisschen in die Mangel und zeige ihm, dass er keine Angst zu haben braucht vor dem Jugendamt und der Fürsorgerin und all dem Klimbim. Wenn es bei uns nicht stimmt, bei Kalle und mir, wo denn dann? Jetzt übertreib ich. Ich weiß. Aber das hilft mir.

Omas Ängste

Nicht, dass Oma säuft. Das tut sie nicht. Aber sie hat in der Vitrine eine Flasche Korn stehen, die, wenn Kalle nachschaut, Tag für Tag um einen Strich leerer wird. Als Kalle Oma zum ersten Mal danach fragte, kriegte sie einen Wutanfall.

Schnüffeln gibt's nicht, Kalle. Außerdem, was heißt schon saufen? Ein Schlückchen am Tag. Dann murmelte sie: Oder zweimal zweie.

Kalle wollte auch gar nicht behaupten, dass sie saufe, er hatte sie nie betrunken gesehen, wie es manchmal die Männer im Hause waren oder die alte Frau Lederer aus dem Dachstock. Ihn interessierte nur, weshalb sie es vor ihm verbarg. Darum fragte er auch: Warum versteckst du die Flasche?

Oma setzte sich aufs Sofa. Er musste sich ebenfalls setzen, obwohl er dazu gar keine Lust hatte, aber er hoffte, sie würde vielleicht eine Geschichte von früher erzählen, die er noch nicht kannte.

Es begann auch wie eine Geschichte: Dein Opa, Kalle, hat manchmal ganz schön gepichelt. Er ist hin und wieder nach Hause gekommen, ich kann dir sagen, auf allen vieren, und damals schwor ich mir, das Zeug nie anzurühren. Selbst wenn wir eingeladen waren oder wenn wir feierten, trank ich kaum was. Jetzt ist es anders. Das geschah ganz einfach: Am Tag, an dem der Opa gestorben war, lief ich in der Wohnung herum, wollte Ordnung machen, brachte aber alles eher durcheinander. Da fand ich in seinem Nachttisch zwei Schnapsflaschen und mich überkam in aller Trauer der Zorn. Ich schraubte eine auf und trank, so als wäre es gegen den toten Opa gerichtet, einen großen Schluck. Und weißt du was, Kalle? Es tat gut. Ich sagte mir, das ist ja ein richtiger Seelenwärmer. Und seitdem wärme ich mir meine Seele, mit ein oder zwei Gläschen nur. Vor allem dann, wenn ich Angst habe.

Kalle guckte sie erstaunt an: Mensch, Oma, du hast doch keine Angst. Das ist mir noch nie aufgefallen.

Du mit deinen acht Jahren weißt schon viel. Aber Angst kann man nicht sehen.

Kalle beteuerte, er würde merken, wenn sie Furcht hätte.

Die Oma lachte: Du traust dir eine Menge zu, Junge. Weißt du, ich habe nicht Angst vor dem dicken Mann auf dem Jugendamt oder vor der Fürsorgerin oder vor dem Hausmeister oder vor irgendwem. Ich habe Angst vor etwas ganz anderem. Nicht nur eine Angst, viele Ängste. Ich habe Angst, dass es eine Inflation gibt und mein Erspartes draufgehen wird, wie schon einmal. Ich bin damals noch fast ein Kind gewesen, neunzehnhundertdreiundzwanzig, und mein Vater, dein Urgroßvater, hatte nicht viel sparen können. Aber das bisschen Geld war auf einmal nichts mehr wert. Was vorher eine Mark gekostet hatte, kostete plötzlich Tausende von Mark. Verrückt! Und dann, neunzehnhunderteinunddreißig, als das Geld wieder seinen Wert hatte, gab's keine Arbeit. Ich war jung verheiratet, dein Großvater hatte seine Stellung verloren, er holte sich das kümmerliche Arbeitslosengeld. Wir wussten kaum, wie wir durchkommen sollten.

Davor habe ich Angst. Ich habe Angst, dass ich krank werden kann. Und was geschieht dann mit dir? Ich habe Angst, wenn du zur Schule gehst, jedes Mal, dass dir etwas zustoßen könnte. Ich habe Angst, dass sie uns die Miete erhöhen. Das sind meine Ängste. Und die bekomme ich nicht los. Und jeden Tag rede ich sie mir von neuem ein und von neuem aus. Und wenn es mir zu dumm wird, gehe ich zur Vitrine, schenk mir ein Glas Korn ein, kippe es runter und sag mir: Erna, Angst gibt's nicht. Das hält dann für einen Moment an.

Das verstand Kalle.

Er hat entdeckt, dass ich manchmal einen zwitschere. Wahrscheinlich hält er mich für eine alte Säuferin. Ich hab versucht, es ihm zu erklären. Komisch, dass ich mir bei solchen Erklärungen immer blöd vorkomme. Was versteht der Junge schon von der Angst, die ich habe. Oder versteht er doch ein bisschen? Vielleicht kennt er mich besser, als ich mir denke. Dann wäre es ja gut. Hin und wieder ein Schnäpschen, das brauch ich eben.

Oma findet Fußballspielen gut

In der Schule kam Kalle zwar nicht in allen Fächern zurecht, machte auch nicht immer die Schulaufgaben, aber die meisten seiner Kameraden mochten ihn. Er hatte Einfälle für Spiele, er half, konnte sich prima schlagen und war vor allem ein ausgezeichneter Fußballspieler. Sein Freund Kümmel, ein dünner, hochgeschossener Junge, dessen Hobby Sternkunde war, zeichnete sich als bester Torwart von allen fünf Parallelklassen aus. Und er hatte auch die Idee, dass alle dritten Klassen eine Fußballmannschaft wählen sollten, die dann sicher auch die vierte schlagen würde.

Kalle wurde Libero. Was Libero war, wussten sie aus dem Radio und Fernsehen. Jedenfalls, so sagte sich Kalle, muss der Libero der Gescheiteste in der Mannschaft sein, da er allen zuspielt, das Spiel macht, wie die Reporter immer sagten.

Eine Zeit lang trainierten sie in den Pausen. Die Lehrer erfuhren davon und regten an, sie sollten sich nachmittags auf dem Vereinssportplatz treffen. Einer der Lehrer käme auf jeden Fall dazu.

Kalle fand das prima. Er erzählte es, kaum zu Hause, der Oma. Die war dagegen. Bei einem solch hektischen Spiel könne er sich das Bein brechen, könne ihm einer

63

ein Loch in den Kopf hauen. Sie sagte: Also, das geht nicht, Kalle. Ich bin ja großzügig, aber ihr seid ja nicht einmal richtig bewacht.

Bewachen lassen wir uns von niemandem, sagte Kalle. Immer suchst du nach Aufpassern. Bitte, lass mich doch gehen. Am Donnerstag ist das erste Training.

Oma konnte nicht hart bleiben. Im Grunde nie. Sie fragte Kalle, auf welchem Fußballplatz sich denn das alles abspiele.

Gar nicht so weit von hier, antwortete Kalle. Auf dem Grün-Weiß-Platz, weißt du, dort, wo die Leute auch immer Tennis spielen.

Ja, ja, sagte die Oma. Die Leute, die sonst nichts zu tun haben.

Das ist doch Quatsch, sagte Kalle. Wenn du es gelernt hättest, Oma, würdest du auch spielen.

Weißt du, wie viel Geld so ein weißes Kleidchen kostet?, fragte Oma.

Das ist mir schnuppe.

Mir auch, sagte Oma. Aber eben deswegen kann ich nicht spielen.

Kalle verschwand am Donnerstag. Er hatte den Ball zur Aufbewahrung, einen weiß-schwarz gefleckten, den sogar die Oma richtig hübsch gefunden hatte.

Es war auch einer der jungen Lehrer da. Er brachte ihnen viel bei. Wie man Bälle stoppt, mit der Brust oder mit dem Fuß, wie man mit der einen Kante des Fußes schlägt oder mit der Spitze. Kopfball fand Kalle am besten. Darum konnte er es auch am besten.

Kümmel bewegte sich im Tor wie eine Schlange. Er warf sich in die Luft, fiel in den Dreck und es war ihm alles egal. Hauptsache, er hielt den Ball.

Als sie mitten im Spiel waren, sah Kalle zu seinem Schrecken am Spielfeldrand Oma stehen. Sie winkte ihm zu; er achtete nicht auf sie. Er schämte sich fürchterlich. Nach einer Weile fing Oma an zu schreien. Erst dachte Kalle, der nicht zu ihr hinsah, sie rege sich über ihn auf, dann merkte er, dass sie ihn oder andere Jungen anfeuerte. Er hörte, wie sie rief: Schneller, Kalle! Das war gemein von dem Dicken! Lass dir den Ball doch nicht wegnehmen! – Der Lehrer ging zu ihr hin und sie unterhielten sich eine Weile. Aus den Augenwinkeln beobachtete Kalle beide. Der Lehrer lachte oft. Oma musste eine Menge komischer Sachen sagen.

Sie blieb bis zum Schluss des Spiels und feuerte ihn sogar an. Verstanden hatte sie jedoch nicht viel. Wahrscheinlich hatte der Lehrer deswegen so gelacht. Sie redete von Nebenläufern und Seitenspringern und Kalle hatte gar keine Lust, ihr das genau zu erklären. Sie würde es doch nicht begreifen. Von da an ließ sie ihn aber ohne Jammern zum Spielen gehn.

Bei einem der nächsten Spiele verletzte er sich. Er war

ungeschickt gewesen. Kein anderer war dran schuld. Er stolperte – und das noch ohne Ball! – und verstauchte sich den Knöchel. Der wurde schnell dick. Kalle konnte nicht mehr auftreten.

Der Lehrer brachte ihn mit dem Auto nach Hause.

Kalle wunderte sich, dass Oma sich nicht aufregte. Sie blieb ganz ruhig, bedankte sich beim Lehrer, prüfte den Knöchel, stellte fest: Gebrochen ist nichts! Sie holte nicht einmal den Arzt, obwohl Kalle sagte: Der Fuß tut fürchterlich weh.

Ich weiß, sagte sie. Pass auf, wenn ich dir Umschläge mit essigsaurer Tonerde mache, hören die Schmerzen bald auf. Nur liegen musst du ein paar Tage.

Oma war prima. Sie trug an diesem Tag keine Prospekte aus, blieb bei ihm, rückte den Fernseher so, dass er vom Bett aus sehen konnte, spielte mit ihm Mensch-ärgere-dich-nicht und Flohhupfen. Als es ihm am dritten Tag langweilig wurde, wollte sie ihm das Stricken beibringen. Aber das lehnte er ab.

Kalle fürchtete, Oma würde ihn nicht mehr Fußball spielen lassen. Das war nicht der Fall. Sie fragte ihn sogar, nachdem er den ersten Tag wieder in der Schule war: Hast du kein Spiel?

Nein, erst morgen, sagte er.

Du musst eben auf dein Bein aufpassen, sagte sie. Aber gut spielen sollst du auch, Kalle!

Wenn Kalle wüsste, was ich ihm manchmal vormache. Da war die Sache mit dem Fußball. Ich hatte ganz einfach Angst um ihn. Ich dachte mir, dass sich der Kalle wieder herumtreibt, dass er mich anschwindelt, dass es den freundlichen Lehrer und den Fußballplatz gar nicht gibt. Ich hab mich so geschämt wegen meines Misstrauens. So was soll nicht wieder vorkommen, Erna Bittel!

Warum Kalle mit Oma manchmal streitet

Hin und wieder hat Kalle Krach mit Oma: wenn sie ihm nicht erlauben will, dass er ins Kino geht und sich den neuen Western anschaut; wenn sie einen seiner Freunde grässlich findet; wenn sie ihn zwingt, die wärmere Jacke anzuziehen, obwohl die Sonne scheint. Aber das sind ganz alltägliche Kräche. Richtig streitet Kalle eigentlich nur um seine Mutter. Zwar kann er sich gar nicht mehr genau an sie erinnern, aber er hat noch immer das Gefühl, dass sie ihm sehr nahe ist, ihm eigentlich der nächste Mensch ist. Für die Oma wiederum ist ihr Sohn, sein Vater, der liebste Mensch. An Kalles Mutter hat sie, auch noch Jahre nach deren Tod, zu mäkeln. Sie findet, die habe manches falsch gemacht. Auch in der Erziehung von Kalle.

Sobald sie damit anfängt, steigt die Wut in Kalle hoch. Er ist schon geübt, Mutter zu verteidigen. Das geht dich gar nichts an, schreit er, wie kannst du überhaupt wissen, wie Mutter war?

Das weiß ich besser als du, erwidert Oma.

Und so beginnt der Krach. Es ist ihm nicht klar, weshalb Oma ihn derart reizt. Sie müsste es ja nicht tun, müsste gar nicht über Mutter sprechen, was ihm lieber wäre. Aber manchmal scheint sie sich in ihrer Erinnerung über Mutter zu ärgern, was Kalle nicht begreifen kann.

Ihr seid doch keine Feinde gewesen, sagt er. Sie war doch meine Mutter, die Frau von deinem Sohn.

Ja, schön, antwortet Oma, und dieses »ja, schön« hört sich ganz ekelhaft an.

Bei solchen Auseinandersetzungen heult Kalle meistens. Einmal ist er auf Oma losgegangen und hat mit geballten Fäusten auf sie eingeschlagen. Das hat ihm Oma tagelang nicht verziehen. Sie versteht offenbar nicht, dass er Mutter noch immer so liebt, als wäre sie am Leben. Oder noch mehr. Vielleicht ist sie auch auf Mutter eifersüchtig. Das kann sein.

Wenn du wüsstest, wie bösartig sie zu mir sein konnte, sagt Oma.

Das ist Unsinn, Oma. Du hast gar keine Ahnung, du weißt nicht, wie lieb Mutter war, sagt Kalle eindringlich.

Zu dir vielleicht, erwidert Oma.

Zu dir musste sie es auch nicht sein, schreit Kalle. Wahrscheinlich warst du auch ekelhaft zu ihr. Du bist ja nicht wichtig gewesen.

Und jetzt?, triumphiert die Oma, bin ich jetzt auch nicht wichtig?

Ach, rutsch mir doch den Buckel runter, schluchzt Kalle und kann nicht zugeben, dass sie ihm jetzt so wichtig ist, wie Mutter es für ihn früher war.

Gut, meine Schwiegertochter hab ich nie besonders gern gemocht, und dass der Junge auch jetzt noch an ihr hängt, ist klar. Ich bin seine Oma – ich lebe; sie war seine Mutter – sie lebt nicht mehr. Eine Heilige war sie wirklich nicht. Und er macht eine aus ihr. Und deshalb soll ich kein Sterbenswörtchen über sie sagen? Komisch, er reizt mich richtig mit diesem: »Aber bei Mutter war das so …«, »Mutter hat das anders gemacht …« Ja! Ja! Doch nun bin ich da. Und auch der Tod macht einen Menschen nicht besser, als er war. Ich will mir ja Mühe geben und ihn nicht mehr reizen. Einfach ist das nicht.

Oma gewinnt einen Freiflugschein

Oma beteiligt sich fast an jedem Preisausschreiben, das in den Zeitungen oder Illustrierten steht. Damit hat sie Kalle angesteckt. Oft schicken sie die Lösungen doppelt ein. Kalle hat schon einmal gewonnen: einen Sturzhelm, knallgelb, der ihm viel zu groß war und der jetzt an einem Haken in seinem Zimmer hängt. Als das Paket mit dem Helm kam, ärgerte sich Oma. Kaum fängst du damit an, gewinnst du auch schon. Ich mache das Jahre und kriege nichts.

Kalle tröstete sie: Du bekommst sicher einmal den ersten Preis.

Sie bekam ihn auch. Sie wusste gar nicht mehr, für welches Preisausschreiben, da sie mindestens zwölf laufen hatte. Der Erfolg wurde ihr zuerst telegrafisch mitgeteilt: »Sie erhalten eine Freiflugkarte für einen Rundflug über München. Wir gratulieren.«

Was soll das heißen?, fragte Oma Kalle.

Na ja, dass du in einem Flugzeug einen großen Kreis über München machst. Das ist doch klar.

Das lehne ich ab, sagte Oma. Ich will einen Ersatzpreis.

Warte doch erst einmal ab, sagte Kalle.

Mit dem Telegramm hatte sich die Firma beeilt; danach hörten sie tagelang nichts. Oma, die den Preis richtig fürchtete, konnte an nichts anderes mehr denken, rannte bei jedem Klingeln an die Tür, war enttäuscht, wenn es der Briefträger oder die Nachbarin war.

Ich glaube, die haben mich beschummelt, sagte sie.

So schnell kann das gar nicht gehen, erklärte Kalle. Die brauchen doch Zeit, die Karte zu bestellen.

Ich will die Karte gar nicht, rief Oma.

Das können die doch nicht wissen, sagte Kalle.

Unsinn – Oma war immer zornig, wenn sie über ihren Preis sprach –, die wissen doch, dass man einer alten Frau nicht gerade einen Rundflug anbieten kann.

Sie saßen beim Abendessen. Kalle lachte. Oma herrschte ihn an, er solle sich nicht so auf den Stuhl lümmeln, sich nicht mit dem Ellenbogen aufstützen, und Kalle fragte sie: Sag mal, du behauptest, die Leute wüssten, dass du eine alte Frau bist. Hast du denn dein Alter angeben müssen?

Oma geriet ins Grübeln.

Kalle störte sie darin und sagte: Das muss man eigentlich nie tun. Man muss nur sagen, und auch das nicht immer, ob man unterschriftsberechtigt ist; das bist du doch – oder?

Bin ich geisteskrank?, schrie die Oma.

Nein, aber was hat das damit zu tun?

Auf dem Schulweg dachte Kalle darüber nach, wie er

Oma von ihrer Angst befreien könnte. Er beschloss, an die Firma, die den Preis vergab, zu schreiben.

Am Nachmittag, als Oma Prospekte austrug, schrieb er den Brief:

Sehr geehrte Preisvergeber!
Ich bin der Enkel von Frau Bittel, die von Ihnen den Rundflug verehrt bekommen hat, aber nun muss ich Ihnen sagen, was meine Oma sich nicht traut: Sie mag den Preis gar nicht. Sie will nicht fliegen. Sie hat Angst. Meine Oma ist nämlich noch nie geflogen. Ich aber auch nicht. Es wäre gescheit, wenn Sie meiner Oma etwas schenken würden, was Omas gefällt. Dann freut sie sich.
Hochachtungsvoll,
Kalle Bittel

Kalle fand eine Marke, klebte sie auf den Briefumschlag und noch ehe die Oma zurückkam, brachte er den Brief zum Briefkasten. Jetzt würde, so hoffte er, alles schnell gehen. Er täuschte sich. Nichts passierte und die Oma blieb weiter nervös. Nach drei Wochen kam endlich ein Brief der Firma. Er war nicht an Oma, sondern an Kalle adressiert, was Oma außerordentlich aufregte. Denn Kalle war in der Schule und sie konnte den Brief nicht öffnen. Sie durfte es nicht. Daran war sie selber schuld. Sie hatte Kalle nämlich versprochen, seine Post nie zu öffnen, wie er ihre nie aufmachen dürfe. Das gehöre sich nicht. So saß sie auf glühenden Kohlen, weil es sich nicht gehörte, Kalles Brief aufzumachen. An diesem Tag hatte er auch noch sechs Stunden Schule. Oma wurde fast verrückt vor Neugier. Sie hielt den Brief gegen das Licht, sah jedoch keine Schrift durchschimmern. Sie überlegte, ob sie den Brief nicht über Dampf halten solle. Aber dann würde sie den Kalle bemogeln. Also wartete sie. Damit ihr das Warten nicht so schwer fiel, besuchte sie den Bäcker, kaufte einen halben Laib Brot und schwätzte lange mit ihm, bis der Bäcker sagte: Jetzt muss ich wieder nach hinten, Frau Bittel.

Es war ihr richtig unangenehm, den Bäcker so lange aufgehalten zu haben. Doch was sollte sie denn anderes tun?

Endlich hörte sie Kalle vor der Wohnungstür, lief hin, öffnete, rief: Kalle, du hast einen Brief bekommen, weißt du, von der Firma mit meinem Rundflug.

Kalle nickte kühl, ging an ihr vorüber, in sein Zimmer.

Ja, interessiert dich das denn überhaupt nicht?, schrie Oma.

Doch, gleich. Ich muss erst mal meine Schulsachen in Ordnung bringen, sagte Kalle.

Das kannst du doch nachher tun, rief Oma aufgeregt.

Dann schimpfst du wieder, dass ich keine Ordnung halten kann!

Aber doch jetzt nicht!

Doch, das tust du immer.

Nein, heute nicht.

Kalle brauchte noch eine Weile und Oma rannte in der Küche hin und her.

Gott, ist das ein ekelhaftes Kind, stöhnte sie.

Sie brachte ihm ein Messer zum Öffnen des Kuverts. Kalle entfaltete aufreizend langsam den Brief und hielt ihn so, dass Oma nicht mitlesen konnte. Er nickte beim Lesen, begann zu schmunzeln und faltete den Brief zusammen.

Also, was ist?, fragte die Oma.

Kalle sagte: Es ist alles in Ordnung.

Was heißt das? Wie kommen die überhaupt dazu, dir zu schreiben. Ich habe doch gewonnen, nicht du, rief Oma.

Aber du wolltest den Preis nicht, sagte Kalle.

Das konnten die doch nicht wissen, sagte Oma.

Nein, das nicht, sagte Kalle. Er kam sich ungemein überlegen vor. Ich habe ihnen geschrieben.

Du? Bist du wahnsinnig? Du versaust mir alle meine Geschäftsverbindungen!, schrie Oma.

Kalle wurde immer ruhiger. Ich habe dir nichts versaut, Oma. Ich habe das nur geregelt, sagte er.

Also, sag schon!

Ich werde den Rundflug machen, sagte Kalle. Die haben den auf mich übertragen, weil du zu alt bist.

Oma setzte sich, wie immer, wenn sie vor Aufregung oder Wut nicht mehr stehen konnte, auf den Küchenhocker und starrte ihn mit aufgerissenen Augen an.

Du hast mir meinen Gewinn geklaut. Mein einziger Enkel bestiehlt mich, hintergeht mich durch Briefe. Das ist ungeheuerlich. Das werde ich dem Jugendamt melden müssen, sagte sie.

Wenn du so anfängst, sagte Kalle, rede ich kein Wort mehr mit dir. Und ich sage dir auch nicht, was weiter in dem Brief steht.

Was denn?

Du kriegst nämlich auch was. Zum Ersatz.

Das wird schon was sein! Oma gab auf.

Weißt du, wenn ich fliege, bist du vom Flughafenrestaurant zum Essen eingeladen. Ganz groß.

So wird man abgespeist, sagte Oma. Aber sie fand die Lösung im Grunde angenehm: Den Flug hatten sie nicht verloren und ein gutes Mittagessen war nicht übel. Nur würde sie von neuem Angst haben, wenn der Kalle oben in der Luft war.

Meine Geschäftspost geht dich von jetzt an nichts mehr an, sagte Oma zum Schluss. Das war das letzte Mal, dass du mir reinpfuschst.

Da ärgere ich mich über den Jungen, wenn er selbstständig wird, und eigentlich sollte ich mich freuen. Es ist doch egal, wenn er mir mal in meine Angelegenheiten pfuscht. Ich hab mich auch schön hilflos benommen. Ich sollte den Kalle viel mehr in solchen Sachen unterstützen.

Oma besucht mit Kalle eine Freundin im Altersheim

Ich habe, erklärte Oma, Frau Wendelin seit Monaten versprochen, ihr einen Sonntagsbesuch zu machen. Und du kommst mit, sagte sie zu Kalle. Sonst halte ich die vielen alten Leute nicht aus.

Wo wohnt Frau Wendelin denn?, fragte Kalle.

In Obermenzing, im Altersheim, erklärte Oma.

Ich denke nicht daran mitzugehen, sagte Kalle.

Du kommst mit. Oma ließ keine weitere Widerrede zu. Sie zog ihren eigenartigen Sonntagsstaat an, den sie nur auf Reisen oder bei Amtsbesuchen trug, befahl auch ihm, sich ordentlich zu kleiden, und so fuhren sie mit der Straßenbahn nach Obermenzing.

In dem großen Haus, in das sie hineingingen, mussten in der Tat sehr viele alte Leute wohnen, denn schon der Garten um das Haus war überfüllt von ihnen.

Oma merkte, dass Kalle sich grauste. Barsch sagte sie: Glaubst du, dass du ewig jung bleibst, du Rübe?

Nein, sagte Kalle, aber so alt werde ich nicht, und wenn schon alt, dann wie du.

Oma lachte. Würdest du mich nicht kennen, Kalle, und mit jemand anderem hier zu Besuch sein, dann wäre ich eine von den vielen Alten.

Kalle sagte nichts mehr.

In einem Saal, der merkwürdig ungemütlich wirkte, in dem viele runde Tische und alte Polstersessel standen, wurden sie von Frau Wendelin, einer winzigen Greisin, deren Kopf dauernd ein wenig wackelte, empfangen. Oma schien sich wirklich zu freuen, sie zu sehen. Stolz stellte sie Kalle vor: Das ist mein Enkel, Sie wissen ja, er lebt bei mir.

Es war viel zu heiß in dem Raum. Es roch muffig und ungelüftet. Kalle schwitzte. Er zog seine Jacke aus. Er stellte fest, dass auch Oma schwitzte, denn sie setzte nach einer Weile sogar den Hut ab.

Er hörte nicht auf das Gespräch der beiden alten Frauen. Oma erzählte viel von ihm, Frau Wendelin von ihrem einzigen Sohn, einem Flieger, den sie im Krieg verloren hatte, blutjung, sagte sie immer wieder, blutjung.

Kalle beobachtete die alten Leute an den runden Tischen. Die meisten verhielten sich ganz normal. Aber manche lächelten oder grinsten seltsam vor sich hin. Redeten mit sich selbst. Einigen musste eine Schwester beim Essen helfen. Und andere saßen auf ihrem Stuhl, reglos, als wären sie schon tot. Kalle fürchtete sich nicht vor ihnen. Es war jedoch eine Welt, die ihn beklommen machte, die ihn nichts anging.

Auf der Heimfahrt sprachen sie lange nichts.

Dann sagte Oma: Es ist schon schlimm, so zusammengepfercht zu leben. Alle alt, furchtbar alt.

Kalle konnte schwer erklären, was er sagen wollte. Du bist ja auch alt, Oma, nur nicht so, ganz anders.

Das stimmt nicht, antwortete Oma. Ich bin so alt wie die dort auch. Ich bin nur einzeln und außerdem mit dir, einem Kind. Da sieht das Alter anders aus. Das Alter wird dann schrecklich, wenn man vor lauter alten Leuten das Leben rundum nicht mehr sieht, weißt du. Das ist alles. Aber die Welt hat ja Angst vor dem Alter. Und du auch, Kalle.

Kalle dachte wieder an die Hitze, an den Mief, an die Beengung, die ihn bedrückt hatten. Er gab Oma Recht und fand, sie sei eine tolle Frau.

Ganz gut, dass der Kalle einmal gesehn hat, wie das ist: so viele alte Leute auf einem Haufen, in einem Heim.

Nein, dahin wollte ich auch nicht. Nicht für die Welt. So alt komme ich mir auch nicht vor.

Genau genommen ist daran natürlich der Kalle schuld. Hätte ich den Burschen nicht zu versorgen, würde ich meine Wehwehchen pflegen, jammern, den Nachbarn auf die Nerven gehn. Also ist Kalle im Grunde meine Medizin.

Oma diskutiert mit dem Fernsehapparat

Zu Beginn haben Kalle und Oma häufig darum gestritten, wer was im Fernsehen anschauen darf. Mit der Zeit löste sich das von selber, denn Oma hatte kein großes Interesse am Fernsehen. Sie nähte lieber oder las in der Zeitung. Außerdem waren ihr Wildwestfilme oder Krimis, was Kalle wunderte, langweilig. Nur Filme, die sie von früher kannte, wollte sie unbedingt wieder sehen. Da gab es für Kalle kein Pardon. Meistens schickte Oma ihn dann ins Bett. Sie sagte: Das verstehst du doch nicht. Da bist du noch zu jung. Das ist viel zu lange her.

Kalle hatte einen Film zur Hälfte mit angeschaut, fand ihn schnulzig und langweilig. Oma jedoch vergoss Tränen.

Einmal wachte Kalle in der Nacht auf und hörte Oma reden. Er erschrak. Sie hatte ihm nicht gesagt, dass sie Gäste erwartete. Er schlich zur Tür, öffnete sie lautlos und lugte ins Zimmer.

Oma war allein, sie saß vorm Fernseher und redete mit ihm. Sie war sehr aufgeregt.

Das ist doch Tinnef, rief sie, und Kalle beschloss, sich das Wort zu merken und Oma zu fragen, was es bedeute.

Nichts als Tinnef, wiederholte Oma. So lebt doch kein

Mensch. Nicht mal die Reichen. Ich weiß gar nicht, warum die sich solches Zeug ausdenken. Die verarschen doch unsereinen. Das hat doch nichts mit uns zu tun. Das gibt es in der Wirklichkeit doch nicht. Wenn ich mich so anschaue, mit dem Kind und der Rente und dem Fürsorgegeld für den Jungen. Aber so etwas wird nicht gezeigt. So etwas nicht. Warum schaue ich mir das bloß an?

Kalle schloss die Tür wieder leise, weil er lachen musste. Oma war in ihrem Zorn komisch. Am anderen Morgen fragte er sie: Sag mal, Oma, was ist eigentlich Tinnef?

Oma setzte die Tasse überrascht ab. Wie kommst du denn darauf, Kalle?, fragte sie.

Kalle war etwas verlegen. Na ja, du hast heute Nacht dauernd den Fernseher angeschrien und ihm gesagt, alles ist Tinnef!

Ach so, antwortete Oma. Tinnef bedeutet Dreck. Oder Quatsch. Oder Unfug. Halt alles das.

Was war denn das für ein Film, Oma?, fragte Kalle.

Die nennen das Problemstück oder so. Das handelte von einer Geburtstagsgesellschaft in England oder Amerika, lauter Wahnsinnige, die nie was arbeiten, aber trotzdem verrückt und arm sind oder so tun. Weiß der Himmel warum!

Das ist doch lustig, sagte Kalle. In den Filmen, die du

magst, rennen die Leute bloß immer in alten Kleidern rum und heulen oder umarmen sich.

Das verstehst du nicht, sagte Oma. So war das Leben.

Das glaube ich nicht, sagte Kalle. So wie in dem Film, wo das Fräulein auf dem Dach lag und beinahe runterstürzte? Das hab ich noch nie gesehn.

Aber da ging es doch um eine Erbschaft, sagte Oma.

Was ist das?

Wenn jemand gestorben ist, kriegen andere, meistens Verwandte, das Geld, was denen gehörte, die gestorben sind, auch die Häuser oder Fabriken, versuchte Oma zu erklären.

Also, du hast nicht viel Geld, auch kein Haus und keine Fabrik, sagte Kalle.

Nein. Aber in diesem Film hatten die Leute viel Geld. Und das wollten sie dem Mädchen, das es eigentlich bekommen sollte, abluchsen. Und das ist eine Schweinerei.

Mir ist das Wurscht, sagte Kalle. Solche Filme sind langweilig.

Mir sind Western langweilig. Und sie stimmen auch nicht. Hast du schon einmal jemanden schießend durch die Stadt reiten sehen?, fragte Oma.

Das passiert doch in Amerika, sagte Kalle.

Trotzdem, sagte Oma, die streiten wollte.

Das wollte Kalle nicht. Deswegen sagte er: Aber Tinnef finde ich richtig gut.

Zu wissen, was Tinnef bedeutet, ist immer gut. Nur, wie Kalle mich da als Heulsuse auf den Arm nimmt – nein! Das sollte ich mir nicht gefallen lassen. Aber er hat schon Recht, wenn er sagt, dass dieses Zeug nur für die Tränendrüsen gut ist. Diese neumodischen Filme versteh ich halt einfach nicht mehr. Vielleicht sollte ich mit ihm ein bisschen mehr über Politik reden. Das hat mein Alter immer vermieden. Er hat gesagt, obwohl es ihm nie gut ging: In eine Partei geh ich nicht. Ich mische in dem dreckigen Geschäft nicht mit.

Dabei hätte er ja für seine Rechte kämpfen können. Als ich dann nach dem Krieg zu den Sozialdemokraten ging, schon weil mir der Kurt Schumacher gefiel, der wirklich ein toller Politiker war, schimpfte Otto wie ein Rohrspatz. Ich finde das falsch. Der Kalle sollte sich da später nicht so drücken.

Oma wird krank

Kalle hatte sich gar nicht vorstellen können, dass Oma jemals krank würde. Sie wurde es lang nicht. Kurz vor seinem zehnten Geburtstag ereignete sich das, vor dem er sich insgeheim fürchtete. Oma versuchte, es mehrere Tage zu verbergen. Sie blieb länger im Bett, bat ihn, sich das Frühstück selber zu machen, trug kaum mehr die Prospekte aus, schickte ihn zum Bäcker – tat lauter Ungewöhnliches.

Ist dir nicht gut?, fragte Kalle.

Doch, sagte sie. Ich bin nur ein bisschen schlapp. Das ist die Frühjahrsmüdigkeit.

Die war es nicht. Am fünften oder sechsten Tag stellte Oma nämlich fest, sie müsse Fieber haben und es müsse wohl ein Arzt geholt werden.

Diese Feststellung versetzte Kalle in größte Aufregung. Er gab sich Mühe, das nicht zu zeigen.

Soll ich den Doktor holen?, fragte er.

Ja, tu das, sagte Oma.

Kalle klingelte bei dem Arzt, der, wie auf dem Schild zu lesen war, keine Sprechstunde hatte. Die junge Frau, die dem Arzt half, machte auf. Sie war etwas ungehalten. Ob er denn nicht zur angegebenen Zeit kommen könne …

Er sagte: Oma ist krank.

Die Sprechstundenhilfe sah ihn an, schüttelte den Kopf: Frau Bittel, das kann doch nicht wahr sein.

Doch, sie ist richtig krank. Sie hat Fieber, und wenn Oma schon den Doktor will … Kalle war nahe dran zu schluchzen.

Der Doktor Hinz wird gleich kommen, Kalle. Du brauchst dir keine Sorgen zu machen.

Jetzt war das Fräulein nett zu ihm.

Gut, sagte Kalle, aber wirklich gleich.

Sobald er von seinem Besuch zurück ist, versprach ihm das Fräulein. Der Doktor kam tatsächlich. Er schickte Kalle aus dem Zimmer, er müsse Oma gründlich untersuchen.

Kalle saß in seinem Zimmer, wusste nichts mit sich anzufangen, dachte an die Rede, die Oma zu seinem letzten Geburtstag gehalten hatte, malte sich aus, was passieren würde, wenn Oma stürbe, sagte vor sich hin: Die Oma darf nicht sterben.

Er kam sich wie ein Fünfjähriger vor.

Es klopfte an seiner Tür, der Doktor holte ihn. Sie saßen neben Omas Bett und der Doktor sagte: Jetzt hör mal zu, Kalle, du musst dir keine Sorgen machen. Oma hat zwar eine böse Angina, aber sie ist für ihr Alter noch gut in Schuss. Nicht wahr, Frau Bittel, das sind Sie doch?

Und die Oma strahlte und nickte.

Nur halte ich es für unklug, die Oma hier ohne Pflege zu lassen, sagte der Doktor weiter. Das schaffst du nicht. Für eine Woche sollte die Oma in die Klinik. Ich habe das bereits mit ihr besprochen. Ich werde der Nachbarin sagen, dass sie nach dir schauen soll, und auch der Jugendpflegerin werde ich Bescheid sagen.

Der nicht, sagte Kalle.

Doch, der auch, sagte der Doktor bestimmt. Es muss alles seine Ordnung haben, sonst beunruhigt sich deine Großmutter und wird nicht gesund.

Also gut, sagte Kalle.

Morgen früh wird ein Krankenwagen deine Oma abholen. Da sollst du dir schulfrei nehmen. Ich schreibe dir eine Entschuldigung.

Gut, sagte Kalle und er merkte, dass er ganz ruhig wurde. Nun war es Ernst, nun musste er zeigen, dass Oma sich auf ihn verlassen konnte.

Am anderen Morgen, sehr früh, wurde Oma weggebracht.

Als Kalle die Wohnungstür hinter sich zuzog, heulte er. Es war so früh, dass er noch zur Schule hätte gehen können. Er tat es nicht, begann die Wohnung aufzuräumen, so, wie es sonst Oma tat. Später klingelte es, die Nachbarin fragte, wann sie ihm das Mittagessen bringen solle.

Jetzt nicht, sagte Kalle.

Hier ist ja alles blitzblank, sagte sie.

Das freute ihn. Am Nachmittag ging er Fußball spielen. Um fünf Uhr fuhr er zu Oma in die Klinik – das würde er jeden Tag tun, obwohl nur drei Tage in der Woche Besuchszeit war. Er hatte eine Sondererlaubnis.

Oma sah ziemlich müde aus und fragte nur wenig. Er saß neben ihr und wusste nicht, was er ihr erzählen sollte. Deswegen schämte er sich ein bisschen. Er hätte sich vorher überlegen sollen, womit er sie hätte unterhalten können.

Am nächsten Tag, nach der Schule, als er allein zu Mittag aß, besuchte ihn die Jugendpflegerin. Sie war neu. Sie stellte sich vor: Ich bin Fräulein Hauschild.

Er sagte: Ich bin Kalle Bittel.

Sie lachte. Das weiß ich, sagte sie. Ob sie ihm behilflich sein könne.

Er sagte: Eigentlich nicht. Ich komme schon zurecht.

Das finde ich prima, sagte sie. Aber ich komme auf jeden Fall jeden Tag vorbei, und wenn etwas nicht klappt, gibst du mir Bescheid. Das Essen kriegst du von der Nachbarsfrau?

Ja, sagte Kalle.

Und so toll aufräumen musst du ja nicht, sagte sie.

Sie gefiel Kalle ganz gut.

Als er am nächsten Tag zu Oma wollte, verbot es ihm

die Schwester. Oma dürfe sich nicht aufregen, sie sei schwach vom Fieber.

Kalle bekam Angst. Jetzt würde sich das Unausdenkliche ereignen. Er musste sich darauf vorbereiten.

Zu Fräulein Hauschild sagte er: Ich weiß, dass die Oma stirbt.

Fräulein Hauschild sagte: Das ist Unsinn, Kalle. Ich habe mich eben nach ihrem Befinden erkundigt.

Doch, sagte Kalle. Und ich muss in ein Heim.

Quatsch, sagte Fräulein Hauschild. Er merkte, dass sie nicht weiterreden wollte.

Sie kam jeden Tag gegen Abend vorbei, setzte sich manchmal neben ihn vor den Fernsehapparat, schaute die Schulaufgaben nach, unterhielt sich mit der Nachbarin. Sie war wirklich nett. Und sie fragte ihn nicht aus. Sie passte einfach auf, dass nichts schief ging.

Die Tage darauf konnte er Oma wieder besuchen. Ein paar Mal brachte ihn Fräulein Hauschild in die Klinik. Oma erholte sich nun rasch. Er musste sich nicht mehr viel ausdenken; jetzt erzählte sie wieder, fragte, befahl.

Nach genau zwei Wochen kam sie heim. Kalle hatte noch einmal geputzt und ein Papierschild an die Wohnungstür geheftet, auf das er mit roter Wachskreide geschrieben hatte: »Herzlich willkommen!!!«

Oma fuhr, luxuriös, mit einem Taxi vor. Kalle hörte sie vor der Wohnungstür lachen. Das Schild freute sie. Diesmal umarmte nicht die Oma ihn, sondern er sie – zum ersten Mal. Sie ging durch die Wohnung, prüfte alles, fand seine Arbeit tadellos und sagte, ihm einen Schubs gebend: So, jetzt werden wir wieder weitermachen, Kalle.

Sie wollte sich einen Kaffee kochen, da klingelte es, die Nachbarin brachte einen Blumenstrauß, Oma bedankte sich bei ihr, es klingelte wieder, es war die Bäckersfrau mit einem Kuchen. Oma erzählte von ihrem Leiden, sehr wortreich, es klingelte von neuem, vor der Tür stand Fräulein Hauschild, alle redeten durcheinander, saßen mit einem Mal um den runden Tisch, Kalle zwischen ihnen, ungeheuer froh, und alle fanden, dass Oma glänzend aussähe, richtig erholt.

Erholt ist gut, sagte Oma.

Am Abend, nachdem das Fest vorüber war – der Empfang war ein richtiges kleines Fest geworden –, beschloss die Oma, früher ins Bett zu gehen als sonst. Ich muss mich ein wenig schonen, am Abend, sagte sie.

Kalle sagte: Ohne dich ist es schrecklich, Oma.

Siehst du, sagte sie. Aber lernen musst du es schon.

Kalle sah das ein. Er dachte an die Angst, die er gehabt hatte, doch auch an die Leute, die ihm halfen. Das musste nicht immer so sein.

Er hörte, wie sie den Schlüssel in ihrer Tür herumdrehte und sich ächzend auszog. Wie an den vielen

Abenden zuvor. So konnte es schon noch eine Weile weitergehen.

Gute Nacht, Oma, rief er.

Und sie antwortete: Schlaf schön, Kalle. Ich weck dich morgen.

Gut, Oma. Er musste den Wecker nicht stellen. Das besorgte jetzt wieder Oma.

Nun geht es zu Ende mit dir, Erna Bittel, hab ich mir gedacht, und als der Bursche zum Doktor rannte, ist mir alles auf einmal durch den Kopf gegangen. Wie das mit ihm weitergehen wird, und ob ihn jemand übernimmt. Oder ob er in ein Heim kommt. Ich hatte aufstehen wollen, nur damit niemand was merkt, aber mir war furchtbar elend und ich dachte ans Sterben.

Das ist vorüber. Wir sind wieder zusammen. Der Kalle ist, finde ich, aufmerksamer und nachdenklicher geworden. Der Schock ist auch ihm in die Glieder gefahren. Besser wär's schon, er hätte seine Eltern noch, für ihn auf jeden Fall. Für mich nicht, nein, für mich nicht. Auch wenn ich tagsüber manchmal kaum mehr kann, so bedeutet der Kalle für mich ein richtiges zweites Leben. Und ich hoffe, das geht ein paar Jahre noch so.

Kalle wird zehn

Als Kalle zehn wurde, waren alle seine Freunde zu Gast. Oma verhielt sich tadellos, sie meckerte überhaupt nicht, duldete den Krach und spielte sogar noch mit. Sie fand es nicht einmal schlimm, dass einer der Jungen Saft auf den Teppich goss. An diesem Geburtstag machte Oma Kalle klar, dass es nicht ewig so weitergehen würde.

Die Jungen waren wieder weg, Kalle atemlos. Er trug den schicken Trainingsanzug, den Oma ihm geschenkt hatte. Oma bat ihn neben sich auf die Couch und hielt, ohne ihn anzusehen – sie nahm allerdings ganz leicht seine Hand in die ihre –, eine richtige Ansprache: Also mit zehn, Kalle, kann der Mensch schon denken, finde ich. Und du hast ja auch schon eine Menge hinter dir. Ich kann von dir verlangen, dass du nachdenkst, nicht wahr? Ich bin jetzt über siebzig. Na ja, ich weiß, man merkt mir das nicht an, aber stelle dir mal vor, sechzig Jahre älter als du. Kannst du dir das überhaupt vorstellen?

Kalle sagte, erschrocken über diese Feststellung: Nein.

Das hab ich mir gedacht, fuhr die Oma fort. Es ist wichtig, dass du darüber nachdenkst. Hundert werde ich nicht. Und diese Krankheit vor kurzem …

Sagen wir, ich habe noch acht Jahre, und das ist eine ganze Menge, dann wirst du achtzehn sein, dann wirst du es selber schaffen. Aber sagen wir, ich habe nur noch vier …

Das glaube ich nicht!, fiel ihr Kalle ins Wort.

Es ist gut, wenn du es nicht glaubst; ich glaube es auch nicht, nur wissen musst du es. Verstehst du? Da ist noch diese Tante in Bottrop. Ich habe ihren Namen vergessen. Sie hat sich nie um dich gekümmert, die Schwester deiner Mutter. Sie könnte dich aufnehmen. Oder du müsstest in ein Heim, Kalle.

Nein, sagte Kalle entschieden.

Dir bleibt gar nichts anderes übrig, sagte Oma.

Kalle antwortete: Dann haue ich ab.

Das ist Unsinn, sagte sie, nicht alle Heime sind schlecht.

Zögernd fragte Kalle: Meinst du denn, dass du bald stirbst, Oma?

Oma erwiderte: Ich habe mir vorgenommen, so lange wie möglich zu leben, Kalle. Aber es genügt nicht, dass man es sich vornimmt, es hilft nur.

Sie zog ihn an sich, was sie selten tat. Sie roch nach Küche und nach altem Stoff. Kalle hätte beinahe geheult, vor Angst und auch, weil er merkte, dass er von Oma gar nicht viel wusste und sie dennoch sehr gern hatte.

Wir werden schon aufpassen, sagte Oma. Aber klargemacht habe ich es dir. Das ist mir wichtig.

Peter Härtling
Ben liebt Anna
Erzählung
Mit Bildern von Sophie Brandes
Gulliver Taschenbuch (78001), 80 Seiten *ab 9*
Zürcher Kinderbuchpreis »La vache qui lit«
Auswahlliste zum Deutschen Jugendbuchpreis

Manchmal sagen Erwachsene zu Kindern: Ihr könnt noch gar
nicht wissen, was Liebe ist. Das weiß man erst, wenn man groß
ist. Das ist nicht wahr. Auch Kinder kennen Liebe, und nicht nur
die Liebe innerhalb der Familie. So ist es auch mit Ben. Er liebt
Anna, das Aussiedlermädchen, das neu in die Klasse kommt. Und
auch Anna hat Ben eine Weile sehr lieb gehabt. Das ist schön, aber
auch schwer: Da gibt es Aufregung und Gekränktsein und
Eifersucht, Streit mit Freunden und immer wieder die Angst,
ausgelacht zu werden ...

»Eine wunderschöne, alltägliche, doch für die beiden einmalige
Liebesgeschichte ... Aus Ben und Anna können auch Erwachsene
wieder schlau werden.«
Herbert Glossner, Deutsches Allgemeines Sonntagsblatt

Beltz & Gelberg
Beltz Verlag, Postfach 100154, 69441 Weinheim

Peter Härtling
Theo haut ab
Roman
Mit Bildern von Peter Knorr
Gulliver Taschenbuch (78014), 128 Seiten *ab 8*

Natürlich hat man mit zehn Jahren schon mal Probleme. Doch
Bims hat zuviel davon. Eigentlich heißt er Theo Weißbeck, aber in
der Schule nennen sie ihn immer nur Bims. Weil er so ein Komiker
ist, meinen sie. Aber das stimmt nicht. Zu Hause ist er ganz
anders – da hat er es aufgegeben, lustig zu sein. Nicht wegen der
schlechten Noten, es ist, weil sich die Eltern nicht mehr vertragen.
Dabei liebt er sie. Das hält er nicht mehr aus. Eines Tages läuft
Bims weg, und es passiert viel, ehe er zurückkommt. Zum Glück
findet er unterwegs einen Freund, der ihm hilft. Dieses Buch
handelt also auch von einer Freundschaft.

»Es kommt nicht oft vor, daß die Moral einer Geschichte so
sympathisch aussieht.«
Frankfurter Allgemeine Zeitung

Beltz & Gelberg
Beltz Verlag, Postfach 100154, 69441 Weinheim

Peter Härtling
Alter John
Roman
Mit Bildern von Renate Habinger
Gulliver Taschenbuch (78035), 136 Seiten *ab 10*

Alter John heißt eigentlich Jan Navratil und stammt aus Brünn.
Aber alle nennen ihn Alter John. Auch bei seiner Familie heißt er
so, als er von Schleswig in das kleine Dorf übersiedelt, wo die
Schirmers wohnen: Vater, Mutter und die Enkelkinder Laura und
Jakob. Zusammenleben ist nicht leicht, das muss jeder erst lernen.
Die Kinder finden es allerdings spannend: Seit Alter John bei
ihnen ist, passiert jeden Tag etwas. Aber eines Tages wird Alter
John sehr krank …

»Alter John handelt vom Leben eines alten Mannes. Es ist
zugleich die Geschichte einer Familie. Peter Härtling erzählt
davon auf eine für Kinder verständliche Weise: humorvoll, warm
und unmittelbar.«
Süddeutsche Zeitung

Beltz & Gelberg
Beltz Verlag, Postfach 100154, 69441 Weinheim

Peter Härtling
Jakob hinter der blauen Tür
Roman
Mit Bildern von Peter Knorr
Gulliver Taschenbuch (78495), 112 Seiten   *ab 10*

Dies ist die Geschichte des 12-jährigen Jakob. Und es ist auch die
Geschichte von Mia, seiner Mutter – denn beide gehören
zusammen und müssen lernen, miteinander zurechtzukommen.
Das ist gar nicht leicht, nach Vaters Tod. Zunächst haben sie die
Wohnungstür blau angemalt. Nur so, um einen neuen Anfang zu
machen. Da gibt es Ärger mit den Nachbarn. Auch in der Schule
wird es schwieriger für Jakob. Er verliert seine Freunde. Er ist
allein. Und er will auch keine Hilfe. Immer mehr Phantasiefiguren
umgeben Jakob, immer weniger kann er mit seiner wirklichen
Umwelt anfangen. Und die mit ihm. Mia ist verzweifelt. Sie wird
nicht mehr mit ihm fertig. Und die anderen sagen, dass er spinnt.
Dabei gibt es den Benno wirklich. Benno ist schon groß und spielt
Gitarre und ist sein Freund. Nur weiß er nichts davon. Aber
vielleicht wird er es noch – ganz zuletzt sieht es fast so aus.

Beltz & Gelberg
Beltz Verlag, Postfach 10 01 54, 69441 Weinheim

Peter Härtling
Mit Clara sind wir sechs
Roman
Mit Bildern von Peter Knorr
Gulliver Taschenbuch (78243), 160 Seiten *ab 10*

Das Haus, in dem die fünf Scheurers wohnen, ist etwas eigenartig.
Es ist wie eine Schuhschachtel, behauptet Däd. Aber bei den
Scheurers ist immer etwas los. Dafür sorgen schon Philipp und
Therese, vor allem aber der kleine Dök. Dem fällt immer etwas
ein, da können Mutter Lene und Däd nur noch staunen. So richtig
spannend wird es aber, als Clara, das jüngste Scheurer-Kind
geboren wird. Eine Familiengeschichte, in der es zugleich heiter,
fast lustig und doch ernsthaft und zuweilen höchst dramatisch
zugeht – wie im wirklichen Leben auch.

»Ein humorvolles Buch über den fast gewöhnlichen Alltag einer
ungewöhnlichen Familie. Härtling gelingt es, auch schwierige
Sachverhalte verständlich zu machen.«
Alexandra Rak, ESELSOHR

Beltz & Gelberg
Beltz Verlag, Postfach 100154, 69441 Weinheim